INFIRMIÈRE D'UNE PRINCESSE

Derniers romans parus dans la collection Delphine :

LA MAISON DE PAIN D'EPICE
par Alice DWYER-JOYCE

LE JOURNAL DE ROSE
par Janet KEBBELL

EVE EST DE RETOUR
par Jane ROSSITER

LE FIANCE DES CARAIBES
par Marjorie CURTIS

LA POUPEE DE BOIS
par Elizabeth ELGIN

TENEBRES SUR DEUX CŒURS
par Alice LENT COVERT

BAISERS D'HIVER, AMOUR D'ETE
par Anne SHORE

OPALES AU CŒUR DE FEU
par Edna DAWES

LE VISITEUR DE MINUIT
par Janet KEBBELL

MES DIX-HUIT ANS
par Lillie HOLLAND

LE REPOS DE L'AIGLE
par Valerie SCOTT

FIANÇAILLES ILLUSOIRES
par Juliet GRAY

LA FOLLE CHEVAUCHEE DE MIRANDA
par Julia MURRAY

A paraître prochainement :

ROCK HESITATION
par Elaine DANIEL

LA MAISON BIRMANE
par Nina PYKARE

Lilian WOODWARD

INFIRMIÈRE D'UNE PRINCESSE

(*Nurse to Princess Jasmine*)

Roman traduit de l'anglais
par Hélène MARVAL

LES EDITIONS MONDIALES
2, rue des Italiens — PARIS-9e

ISBN N° 2-7074-3444-2

CHAPITRE PREMIER

Madge observait, sous l'intense lumière, les longs doigts du chirurgien qui tentaient de localiser très précisément la malformation qui avait amené le malade au seuil de la mort.

Elle était de l'autre côté de la table d'opération. Au-dessus du masque qui dissimulait le bas de son visage, elle voyait ses prunelles grises brillant d'un feu sombre, son regard concentré fixant un point à l'infini, bien au-delà des murs de la salle, ses sourcils froncés. Tout son être était comme à l'écoute de ses doigts. Enfin il baissa la tête, respira à fond. Il allait opérer avec promptitude et sans tâtonner.

« Comme il est étrange que cet homme-là soit le frère de Nick ! » se dit Madge.

Ils étaient tellement différents ! Nick Spender, son fiancé, était rieur, léger, tandis que Tom était grave, sérieux. Nick était praticien,

Tom chirurgien. Tous deux étaient consultants à l'hôpital Sainte-Anne, à l'est de Londres.

Ce n'était pas seulement parce que Tom était l'aîné que sa réputation était plus grande et qu'on le considérait dans les milieux médicaux comme un maître de sa spécialité. Il devait sa notoriété à son acharnement au travail, à son abnégation, à ses recherches.

L'opération fut longue et délicate. De temps à autre Madge se penchait pour éponger le front du « patron » où la sueur perlait à grosses gouttes.

Enfin ce fut terminé et Tom Spender recula d'un pas.

— Tu peux finir le travail, Jim, lança-t-il. Pour moi, c'est terminé...

Il s'adressait au médecin qui l'avait assisté et qui maintenant allait « recoudre ».

Tout en ôtant ses gants Tom Spender se dirigea vers la salle voisine où se trouvaient le lavabo et le vestiaire. Redressé, il était très grand dans sa longue blouse et le calot qui recouvrait ses cheveux noirs le rehaussait de quelques centimètres.

Après avoir accompagné l'opéré à la salle de réanimation, Madge et une jeune infirmière aidaient Mlle Marchant, l'infirmière en chef du service de chirurgie, à remettre de l'ordre et à tout préparer pour l'intervention suivante, lorsque celle-ci demanda :

— Vous avez des nouvelles de monsieur Spender, Harman ?

Madge sourit. Sa collègue était d'un naturel indiscret.

— Oui. J'en ai eu ce matin. Il rentre demain.

— Demain ? C'est assez inattendu, non ?

— Oui, mais il ne donne aucune explication. Tout ce que je sais, c'est qu'il rentre un mois plus tôt que prévu. Il devait rester à al-Madaniya toute une année...

Diane Marchant faisait l'inventaire des instruments de chirurgie qu'elle venait de nettoyer avant de les placer dans le stérilisateur.

— Son frère doit être au courant, lui ?

— Il ne m'en a pas parlé, dit Madge.

Elle quitta la salle pour mettre un terme à cet interrogatoire.

Mais, elle se demandait, comme elle n'avait guère cessé de le faire depuis qu'elle avait reçu le télégramme de Nick, pourquoi il revenait déjà à Londres.

Il était parti pour la capitale d'al-Madaniya — qui portait le même nom que l'Etat — à la demande du gouvernement de ce pays, pour aider à la mise en route d'un hôpital qu'on venait d'y construire.

A la veille de son départ, il avait demandé à Madge si elle accepterait de l'épouser lorsqu'il reviendrait. Ils s'étaient donc fiancés, mais durant ces onze mois elle n'avait reçu de lui que quelques lettres très brèves, et s'était assez vite rendu compte qu'il était un piètre correspondant.

Il lui avait cependant écrit que son travail là-bas était intéressant et que la population de ce petit Etat paraissait heureuse. Les gens étaient d'un contact agréable, les relations de travail cordiales.

« Je cherche une maison où vous pourriez vivre confortablement, ma chérie, afin que vous veniez me rejoindre. » Presque toutes ses lettres se terminaient ainsi. Mais, il y avait maintenant onze mois qu'il était parti et ce projet était toujours en suspens.

Très souvent son futur beau-frère l'invitait à dîner au restaurant ou à aller au spectacle et elle se demandait si ce n'était pas Nick qui l'avait prié de veiller sur elle.

La plupart du temps elle refusait : Tom était un homme trop occupé pour qu'elle abusât de sa gentillesse et, de plus, elle savait très bien que la direction de l'hôpital verrait d'un très mauvais œil que le chirurgien le plus éminent de l'établissement eût des relations privilégiées avec une simple infirmière. Il avait fallu déjà faire admettre — non sans quelque difficulté — les fiançailles du Dr Nick Spender avec cette infirmière. Pour Madge il était déjà assez embarrassant que son fiancé eût quitté l'hôpital au lendemain même de leurs fiançailles. Tout cela ne faisait pas très sérieux.

Ayant terminé son service, Madge regagna le corps de bâtiment réservé au personnel, qui se trouvait sur la façade postérieure. Elle venait à peine de quitter son uniforme lorsque le téléphone sonna. Le poste commun était dans le couloir desservant les chambres, tout à côté de la sienne.

Elle alla répondre.

Elle reconnut immédiatement la voix qui demandait :

« — C'est vous, Madge ? »

Elle sourit. Tom voulait sans doute savoir si elle avait des nouvelles de Nick.

« — Oui, c'est moi... »

« — J'aimerais qu'on se voie ! Voulez-vous dîner avec moi ? Nous pourrions aller dans ce restaurant de Hampstead (*) où nous avons déjà déjeuné ? »

Elle fit la moue. Elle aurait préféré prendre un bain et se faire une mise en plis, ce soir-là, afin d'être prête, le lendemain, à aller accueillir Nick.

Tom, sentant qu'elle hésitait, insista :

« — C'est assez important, Madge. J'ai quelque chose à vous dire... »

Son cœur se serra. Nick aurait-il écrit à son frère pour lui demander de la préparer à

(*) Agglomération résidentielle de la banlieue de Londres.

la rupture de leurs fiançailles ? Non, certainement pas ! Nick était un garçon direct et franc. Jamais il ne se déchargerait sur son frère d'une aussi déplaisante mission.

« — D'accord, Tom. A quelle heure ? »

« — Dans une demi-heure ? C'est trop tôt ? »

« — Non, je m'arrangerai. »

« — Alors je vous prendrai devant l'entrée principale de l'hôpital... »

Elle raccrocha et revint dans sa chambre. Tandis qu'elle revêtait une petite robe noire qu'elle avait achetée la semaine précédente, et qui mettait en valeur la blondeur de ses cheveux, elle se demandait ce que Tom pouvait bien avoir à lui dire.

C'était au sujet de Nick, de toute façon, car c'était tout ce que Tom et elle avaient en commun.

Il était peu probable qu'il voulût lui parler de son travail.

Madge était sous la voûte qui allait de la cour pavée de l'hôpital à la rue lorsque l'horloge de la tour sonna la demie.

Une longue voiture vint se ranger au bord du trottoir. Tom Spender la conduisait.

— Montez !

Se penchant sur le côté il avait ouvert la portière du passager. Elle prit place dans l'auto aux sièges confortables où régnait une douce chaleur.

Un moment plus tard ils quittaient les rues pavées pour s'insérer dans le trafic qui conduisait vers l'ouest.

Durant le trajet Madge regarda plus d'une fois l'homme qui était auprès d'elle. Il avait un nez étroit et court, un menton volontaire. Il n'était pas aussi beau que Nick. En dépit de l'attrait que pouvaient présenter ses traits virils, certaines particularités de son visage le rendaient presque laid. Mais, cette impression s'effaçait rapidement car il avait un regard intelligent et bon.

Il ne parlait pas. Le trafic était intense et il était très attentif.

Madge, détaillant ses mains puissantes posées sur le volant, avait du mal à imaginer que ces mêmes mains avaient deux heures plus tôt accompli un travail extrêmement délicat qui avait sauvé la vie d'un homme.

Enfin ils traversèrent Hampstead et l'auto commença à gravir la colline. A mi-hauteur Tom la gara dans une petite voie transversale et ils allèrent à pied, dans le soir qui commençait à tomber, en ce mois d'avril, jusqu'au petit restaurant.

Deux ou trois fois Nick y avait amené Madge. C'est après son départ que, Tom lui ayant demandé où elle désirait dîner, elle avait nommé le restaurant Collini.

La salle était éclairée aux bougies. *Signor* Collini les accueillit avec un large sourire et les mena jusqu'à une table, contre le mur du fond.

En attendant le repas ils burent un apéritif et parlèrent de l'hôpital. Madge attendait qu'il en vînt à ce qu'il avait à lui dire. Mais, il ne semblait pas pressé !

Ce ne fut qu'en mangeant le minestrone qu'il demanda :

— Je suppose que vous avez des nouvelles de mon frère ?

— Oui. J'ai reçu un télégramme m'annonçant qu'il arrivait demain.

— Il vous dit pourquoi il a avancé son retour d'un mois ?

Elle secoua la tête.

— Non. Il y a quelque chose de spécial ?

Il acquiesça, mais le sourire gentil qui illuminait tous ses traits était rassurant.

— Il rentre avec un malade. Il m'a envoyé un long télex. Il m'explique que ce malade appartient à la famille régnante d'al-Madaniya et qu'il semble bien que son état nécessite une opération qui est exactement dans mes cordes. Apparemment, c'est un cas urgent. Ils se poseront demain matin à Heathrow...

— Il ne me dit que l'heure de son arrivée, dans son télégramme. J'espère pouvoir aller l'attendre! Il faudra que je demande une autorisation de sortie à l'hôpital.

Tom Spender sourit.

— Vous n'aurez besoin de l'autorisation de personne ! Vous viendrez avec moi...

— Avec vous !

— Oui. Cet homme est un personnage très important. Je dois le prendre en main dès son arrivée. Et naturellement une infirmière sera requise pour l'accompagner, car il devra être immédiatement dirigé vers l'hôpital Sainte-Anne où aura lieu l'opération.

— Et pendant le vol, c'est Nick qui veille sur lui ?

— Je le suppose.

Après un silence, Tom Spender reprit :

— Je suppose aussi que le retour de Nick vous fait plaisir ?

Elle le regarda, les yeux brillants. En voyant l'expression de ce joli visage, le cœur de Tom se serra un peu. Quel veinard était son frère ! Il fallait espérer qu'il s'en rendait compte, au moins... Avant Madge, il y avait eu déjà bien des jeunes filles à qui Nick s'était « intéressé » et qui avaient eu le cœur brisé quand il s'était détourné d'elles...

Soudain Tom réalisa qu'il ne supporterait pas que celle qui était en ce moment à son côté subît une telle humiliation de la part de son frère.

« C'est peut-être celle qui le changera, qui

le retiendra, pensa-t-il. Elle est aussi sensible et bonne qu'elle est belle. S'il a su gagner son amour il s'en montrera digne, sûrement ! »

— Il est heureux qu'il rentre déjà ! dit Madge. Il m'a manqué terriblement. Pensez que nous n'étions fiancés que depuis quelques heures quand il est parti pour al-Madaniya !

— C'est pourquoi il faut vite rattraper le temps perdu. Quand vous marierez-vous ?

— Je déciderai cela avec lui ! répondit-elle en riant. Mais, le plus tôt sera le mieux !

Du bout de sa fourchette, Tom jouait avec les ravioli que le garçon avait posés devant lui.

— Pensez-vous continuer à travailler comme infirmière... quand vous serez mariée ?

Elle haussa les épaules.

— Je n'y ai pas encore réfléchi. Je pense que oui... Pendant un certain temps au moins...

Un peu plus tard, alors qu'ils revenaient vers l'hôpital, Tom reprit :

— Que vous cessiez ou non de travailler, il vous faut un foyer. Avez-vous pensé à la façon de vous installer ?

— Je présume que pour commencer nous louerons un appartement meublé. Plus tard, j'aimerais bien être chez moi, mais... ça pourra attendre.

Il ne répliqua pas.

Ils étaient presque arrivés lorsqu'elle demanda, avec une lueur de gaieté dans le regard :

— Et vous, vous ne songez pas à vous marier, Tom ?

Ce ne fut qu'après un assez long silence qu'il répondit, sourdement :

— Je suis trop absorbé par mon travail pour songer au mariage. De toute façon, je ne crois pas que je ferais un bon mari.

— Vous ne croyez cela que parce que vous n'avez pas encore rencontré la femme qui vous conviendrait.

Il se tourna vers elle. Une lumière, de l'extérieur, éclaira son visage durant une seconde. Il était triste.

— Si, il y a déjà quelque temps que je l'ai trouvée. Malheureusement, elle en aime un autre.

Il obliqua pour aller stopper devant la grande entrée.

— Bonsoir, dit-il tandis que Madge descendait de voiture. Il est entendu que je vous emmènerai moi-même à Heathrow demain. D'après ce que j'ai compris, nous trouverons là-bas une ambulance spécialement aménagée pour la circonstance par l'ambassade d'al-Madaniya.

Il repartit aussitôt.

Madge dépassa la voûte et traversa la cour en direction d'une aile de l'hôpital qu'elle contourna pour y pénétrer par derrière.

Elle se demandait qui pouvait être la femme qui avait suffisamment plu à Tom Spender pour qu'il s'en fût épris. Etait-ce quelqu'un de l'hôpital ? de l'extérieur ? Il fréquentait des gens célèbres et riches... Peut-être était-ce l'une de ses patientes ? ou la fille d'un de ses malades ?

CHAPITRE II

Dans le ciel bleu pâle le soleil brillait et une brise légère faisait frissonner le feuillage des arbres bordant la route.

Madge et Tom se dirigeaient vers Heathrow.

Madge rayonnait : elle allait retrouver Nick. Sa longue attente prendrait fin dans un moment...

Tandis qu'ils pénétraient dans l'enceinte de l'aéroport, Tom dit :

— Le malade doit être très faible. Ils n'ont pu lui infliger le voyage d'une seule traite. Cette nuit ils ont fait escale en Egypte.

— Je me demande qui cela peut être. Et à quoi il ressemble...

Un énorme jet à cet instant s'élevait dans le ciel.

— Il ne sera pas différent de tous les princes arabes que nous avons vus. Ils viennent chez nous pour en repartir au plus vite. Ce ne sera pas le premier que j'opérerai. Ils ont chez eux des chirurgiens capables. Mais, on dirait qu'ils s'imaginent que les Anglais sont les meilleurs..., alors ils viennent ici se faire opérer.

Tom réfléchit et ajouta :

— Je ne devrais peut-être pas dire cela en l'occurrence. D'après le ton du message que m'a adressé Nick, il semble bien que son malade ait besoin d'une opération vraiment délicate et que ce soit urgent. J'espère que je parviendrai à le sauver...

Madge répliqua avec chaleur :

— Je suis sûre que vous en êtes capable ! Ce doit être merveilleux, pour vous, d'avoir sauvé la vie à tant de gens.

Il se tourna vers elle, vit son regard brillant.

— Je fais ce que je peux...

Ils mirent la voiture au parking et descendirent.

Le chirurgien prit le bras de l'infirmière, familièrement.

— Venez ! dit-il. Il faut que nous trouvions cette ambulance...

L'employé interrogé leur apprit que l'avion arrivant du Proche-Orient n'était attendu que dans une demi-heure. L'ambulance était déjà là et était stationnée devant le salon d'honneur.

— Nous avons juste le temps d'aller boire

une tasse de café, dit Tom en prenant le chemin du restaurant dont les baies dominaient les pistes d'atterrissage.

— Vous a-t-on donné des instructions avant que vous quittiez l'hôpital ? demanda-t-il lorsqu'ils furent installés.

— Oui. Je suis affectée tout spécialement aux soins de ce malade. C'est sûrement Nick qui l'a demandé. C'est pourquoi je suis venue en uniforme pour accueillir mon fiancé...

Sur sa robe imprimée elle portait en effet sa blouse et sa cape bleu marine.

— Vous nous manquerez à la salle d'opération, dit Tom en souriant.

— Oh ! je pense que ce ne sera pas pour longtemps !

— Ce sera peut-être plus long que vous ne le pensez. J'aime que mes malades soient bien acclimatés à l'hôpital avant de pratiquer l'intervention. Et je ne les laisse retourner chez eux que lorsque je suis absolument sûr qu'il n'y aura pas de complications... Vous le savez... Si cette personne exige l'exclusivité de vos soins, vous serez indisponible pour d'autres tâches plusieurs semaines peut-être.

Madge se sentit le cœur gros. Du train où allaient les choses, Nick et elle n'étaient pas près de se marier ! Elle se demandait pourquoi Nick avait demandé qu'elle fût affectée à la garde et aux soins de cette personnalité. Il y avait d'autres infirmières qui auraient pu assurer ce service spécial. Et ainsi leurs projets n'en auraient pas été retardés.

Une voix suave et impersonnelle jaillit du haut-parleur. On demandait au Dr Spender et à Mlle Harman de bien vouloir se rendre au salon d'honneur. L'avion qu'ils attendaient allait se poser.

Tom se leva aussitôt.

— C'est pour nous...

Ils connaissaient le chemin. Ils se hâtèrent de traverser l'immense bâtiment et se trouvèrent assez vite foulant l'épais tapis rouge qui formait un chemin étroit et long devant le salon d'honneur.

Dans la pièce se trouvaient déjà quelques personnes, des Arabes en costume traditionnel et un Anglais grisonnant, en jaquette noire et pantalon rayé, qui se présenta à Tom comme le représentant du ministère des Affaires étrangères.

De la main il désigna les autres.

— Ces messieurs sont des membres de l'ambassade d'al-Madaniya. Ils sont venus accueillir votre malade qui va être conduit directement à l'hôpital...

La voix suave retentit de nouveau :

« — Le jet en provenance d'al-Madaniya va atterrir. Veuillez être assez aimables pour quitter le bâtiment et vous rendre au point d'accueil. »

Le représentant du ministère et les membres de l'ambassade sortirent du salon. Tom et Madge suivirent.

Un avion apparut dans le ciel...

Un moment plus tard il stoppait, précisément à l'endroit où se terminait le long tapis rouge en marge duquel l'ambulance attendait.

L'escalier fut amené et mis en place et la porte de l'appareil s'ouvrit. Une hôtesse en uniforme bleu parut...

Madge retint son souffle. Nick allait-il sortir le premier ?

Mais ce furent deux hommes dans leur robe flottante et la tête couverte qui surgirent et opérèrent une descente pleine de dignité.

Ensuite, il y eut un entracte durant lequel Madge s'efforça de calmer son impatience.

Puis ce fut Nick, qui resta au haut de l'escalier pour parcourir du regard le groupe d'accueil.

Apercevant Tom et Madge, il leur fit un signe amical.

Puis, il se retourna pour tendre la main à quelqu'un.

Une silhouette gracile apparut, dont le vent moula les formes sous la robe légère.

Madge entendit Tom murmurer :

— Doux Seigneur ! Mon malade est une femme !

Lentement, côte à côte, Nick et sa compagne descendaient l'escalier.

Les membres de l'ambassade s'approchèrent et s'inclinèrent respectueusement sur la main de la voyageuse. Le représentant du ministère prononça quelques paroles de bienvenue.

La cérémonie protocolaire terminée, on ouvrit la portière arrière de l'ambulance.

Nick vint presque en courant rejoindre son frère et sa fiancée.

— Bonjour, vous deux ! cria-t-il. (Il serra vigoureusement la main de son frère et donna à Madge un baiser rapide.) Venez, que je vous présente à la princesse. Elle a hâte de connaître le médecin qui va l'opérer et l'infirmière qui prendra soin d'elle.

— Je pensais que mon patient serait un homme, dit Tom.

Nick parut étonné.

— Vraiment ? Il ne m'est pas venu à l'idée de te préciser qu'il s'agissait d'une femme. Quelle importance ?

Tandis qu'ils rejoignaient la fine silhouette debout au pied de l'escalier, Tom demanda :

— Quel âge a-t-elle ?

— Vingt ans tout juste.

Puis, avec un sourire radieux, il se tint à deux pas de la princesse :

— Permettez-moi, Altesse, de vous présenter mon frère, Tom Spender. Et voici mademoiselle Harman, qui prendra soin de vous.

Tom prit en souriant la petite main qu'on lui tendait.

— Bienvenue en Angleterre, Altesse ! dit-il.

Le regard de la princesse alla à Madge et, d'une voix charmante et douce, elle répondit :

— Je suis extrêmement heureuse de faire la connaissance du frère du docteur Spender... qui m'a beaucoup parlé de vous, mademoiselle Harman.

On ne voyait que ses yeux, car elle était revêtue du haïk. Ils étaient lumineux et restaient fixés sur Madge tandis qu'un souffle léger faisait frissonner le voile devant sa bouche.

— Je suis sûre que nous nous entendrons très bien, toutes les deux. J'ai beaucoup de chance d'avoir un chirurgien célèbre et une aussi charmante infirmière pour s'occuper de moi.

Puis, se tournant vers Nick, elle dit d'une petite voix :

— Je me sens très fatiguée...

Immédiatement il fut plein de sollicitude :

— Si Votre Altesse veut bien prendre place dans l'ambulance, elle pourra s'étendre et se reposer. Peut-être même dormir. Le chemin est long d'ici à l'hôpital.

— Désirez-vous que je reste auprès de vous dans l'ambulance ? demanda Madge.

— Je crois que ce serait préférable. Cela nous donnera le temps de faire connaissance.

Après qu'elle eut salué les autres personnes présentes, ce qui donna lieu à un nouveau cérémonial, la princesse fut installée dans l'ambulance où une servante, comme elle voilée, et Madge la suivirent.

La longue voiture blanche se dirigea vers la sortie pour prendre la route de Londres, suivie par l'auto de Tom dans laquelle les deux médecins avaient pris place et deux Rolls où se trouvaient les officiels.

L'ambulance était luxueusement équipée. Sur un côté il y avait un divan où la princesse s'était étendue. Près de l'appareil à oxygène deux sièges confortables s'offraient pour Adie, la servante de la princesse, et Madge.

Lorsqu'elles furent entre femmes, la princesse montra enfin son visage. La jeune fille était vraiment très jolie. En plus de son regard lumineux elle avait une bouche délicate et un menton fin, bien dessiné. Son teint était ambré, ses cheveux étaient aussi noirs que ses yeux. Ses oreilles étaient comme de petits coquillages.

De sa voix douce, un peu chantante, elle dit :

— Le docteur Spender m'a dit que vous étiez sa fiancée ?

— Oui. Nous espérons nous marier bientôt.

— C'est un homme charmant. Et si compétent ! Les gens de mon pays vont bien regretter son départ.

Puis, dans un rire léger :

— Mais vous, mademoiselle, je suppose que vous êtes bien aise qu'il vous revienne... J'espère que vous serez heureux, tous les deux, pleinement heureux.

Madge remercia en souriant, puis, pour changer de sujet, elle dit :

— Vous parlez de façon parfaite notre langue, Altesse...

De nouveau la princesse égrena un rire de cristal...

— Cela n'a rien d'étonnant : j'ai vécu en Angleterre pendant plus de quatre années.

Madge se dit qu'elle allait aimer cette jeune fille qui, en dépit de son rang et de l'immense richesse de son père, richesse résultant des réserves de pétrole du pays sur lequel il régnait, faisait montre d'une certaine simplicité et de fraîcheur.

« Peut-être ne serait-elle pas ainsi si elle n'avait pas été élevée en Angleterre ? » pensa-t-elle.

Madge interrogea la princesse sur al-Madaniya et celle-ci lui répondit volontiers. Mais, lorsqu'elle s'aperçut que le souffle de la malade devenait plus court, le remords la saisit...

— Vous êtes lasse, Altesse !... Fermez les

yeux et essayez de dormir un peu. Nous ne serons pas à l'hôpital avant vingt minutes au moins.

Tandis que l'ambulance roulait vers l'est, Madge observait la malade à présent assoupie. Elle avait fermé les yeux aussitôt, comme elle le lui avait conseillé, et Adie l'avait recouverte d'un plaid de laine douce.

Ses traits étaient beaux, mais on lisait sur son visage les méfaits de la maladie et de la souffrance. Aux coins de la bouche et des yeux notamment. Il était évident que juste avant d'entreprendre ce voyage elle avait été éprouvée.

Madge ne savait pas exactement de quoi elle était atteinte. Tom lui avait dit simplement qu'il s'agissait d'une obstruction de l'appareil digestif et que seule une intervention chirurgicale, en supprimant l'obstacle qui en empêchait le bon fonctionnement, pouvait la sauver. Au point où elle en était, elle ne pouvait plus s'alimenter normalement.

Cette opération était la spécialité de Tom, qui l'avait mise au point. La princesse allait bénéficier du résultat des recherches auxquelles il s'était consacré durant plusieurs années.

Dépendant de l'hôpital Sainte-Anne, il y avait une aile réservée à la clientèle privée des médecins qui y pratiquaient.

L'ambulance se rangea devant le bâtiment

et la princesse fut mise dans un fauteuil roulant pour être conduite jusqu'à sa chambre.

Madge marchait à son côté. Elle remarqua que la princesse regardait autour d'elle avec une certaine appréhension. En un geste impulsif elle lui prit la main. La malade s'y cramponna comme si elle avait justement senti le besoin de se raccrocher à cette aide que lui offrait la jeune infirmière.

On arriva enfin à la chambre qui avait été réservée pour elle. Le soleil y pénétrait par de grandes baies et des fleurs, dans des vases, apportaient la gaieté de leurs couleurs et la douceur de leur parfum. Un lit haut, une armoire, une commode et deux fauteuils constituaient tout l'ameublement.

La princesse jeta sur cela un regard circulaire et se mit à rire...

— C'est très différent du palais de mon père, mais ça me plaît ! Je suis sûre que je serai très bien ici.

Le cœur de Madge se serra de pitié. Il était évident que cette jeune fille était décidée à ne voir que le bon côté des choses. Cette chambre d'hôpital, sévère et dépouillée, n'avait certainement rien de commun avec le luxe, la beauté, le confort dont elle était d'ordinaire entourée. Mais, elle était assez raisonnable pour se dire que si elle y était bien soignée le cadre n'avait qu'une importance très relative.

Beaucoup de jeunes filles de sa condition n'auraient pas manqué de grimacer, de se plaindre, d'exiger... Pas elle. L'estime que lui portait déjà Madge augmenta d'un coup.

Elle l'aida à se déshabiller et à se mettre au lit.

Quand les bagages qui avaient été transportés dans l'ambulance eurent été rangés par Adie, Madge suggéra à la malade de rester bien calme et de tenter même de dormir.

Mais, elle finissait à peine de parler que la porte s'ouvrit. Nick et Tom entrèrent.

Nick sourit à la malade et vint auprès d'elle.

— Vous voilà donc installée, Altesse ?

Elle le regardait.

— Oui, et très confortablement. Vous m'avez offert une infirmière de tout premier ordre.

— J'espère que vous lui trouvez d'autres qualités que professionnelles !

— Soyez rassuré, je la trouve aussi charmante, et très sympathique. Vous êtes un heureux mortel, docteur Spender !

Tom s'approcha à son tour.

— Maintenant, je dois vous examiner, princesse. On dirait que le voyage ne vous a pas trop fatiguée.

Les beaux yeux noirs se tournèrent vers lui.

— Je dois vous avouer que je dormirais bien..., si toutefois cela m'était permis.

— Ce ne sera pas long. Juste un coup d'œil...

Adie avait quitté la chambre. Ce fut Madge qui prépara la malade pour l'examen. Nick y assista, à quelques pas. Il fut en effet de courte durée.

Tandis que Madge aidait la princesse Yasmine à se réinstaller confortablement contre ses oreillers, Tom déclara :

— Il y a certains tests que je ferai demain... Pour l'instant, cela suffit. Essayez de dormir. Un bon sommeil que rien ne vient troubler aide à la fois le malade et le médecin.

Après un sourire d'encouragement, il sortit, suivi de Nick.

— Alors ? fit celui-ci quand ils furent dans le couloir.

— Tu as eu raison de l'amener... Il est déjà tard et je n'ai guère de temps devant moi pour tenter de la sauver, mais plus tôt on tentera l'opération mieux ça vaudra. Tout retard ne pourrait qu'aggraver son état.

Cela dit, il tourna les talons et s'éloigna.

Nick, après un moment d'hésitation, revint auprès de la princesse.

Madge, un doigt sur les lèvres, lui fit signe de se taire.

— Elle s'endort, chuchota-t-elle en allant à lui.

Il la prit dans ses bras. Les yeux clos elle reçut son baiser. Le moment dont elle avait rêvé pendant si longtemps était enfin arrivé.

— O Nick ! murmura-t-elle. Comme tu m'as manqué !

Il l'embrassa de nouveau, puis il s'écarta légèrement.

— Il faut que j'aille chez le *superintendent* lui faire mon rapport. Officiellement, je suis toujours à al-Madaniya. Je dois mettre la situation au net. Je te verrai plus tard.

Elle le regarda partir : elle aimait sa silhouette haute et mince, ses cheveux noirs bouclés au-dessus de son visage intelligent, fin, terriblement attirant...

— Il peut sûrement faire mieux que ça !

C'était la voix amusée de la princesse.

Madge se retourna, un peu honteuse.

— Je croyais que vous dormiez !

— Excusez-moi, mademoiselle Harman. Il fallait bien que vous soyez un peu tranquille avec cet homme. Mais, si c'est ainsi qu'il vous embrasse après presque une année de séparation, qu'est-ce que ce sera quand vous serez mariés depuis cinq ou six ans ?

— Vous... vous avez besoin de dormir, princesse !

Cette fois, ce fut Yasmine qui prit la main de Madge.

— Pardonnez-moi de vous avoir taquinée, mademoiselle Madge. Le docteur Spender est un homme charmant, adorable ! Vous avez bien de la chance...

Elle avait fermé les yeux. Sa main, lentement, se détacha de celle de Madge. Celle-ci la reposa avec précaution sur le drap.

Les mots de la jeune princesse l'intriguaient.

De toute évidence, Yasmine admirait Nick. Mais, admirait-elle le médecin ou l'homme ?

CHAPITRE III

Lorsque Madge eut terminé son service, une autre infirmière vint la relever. En sortant de la chambre de la princesse, elle trouva Nick dans le couloir, qui l'attendait.

— Je suis venu te chercher pour t'emmener dîner quelque part. Depuis mon retour nous nous sommes à peine vus.

Le regard de Madge brilla de plaisir.

— Il faut que je me change.

C'était merveilleux de se retrouver seule avec lui. Et elle avait tant de choses à lui dire, tant de projets à lui soumettre !

Il lui pressa affectueusement la main.

— Ne sois pas trop longue !

— Je serai prête dans une demi-heure.

En partant elle se demanda s'il l'aurait embrassée dans le cas où le couloir aurait été désert. Malheureusement, des gens étaient passés juste à ce moment-là.

Il courut derrière elle.

— Je vais sortir la voiture du garage. Il y a presque un an qu'elle y est ; je ne sais pas si elle voudra démarrer... Attends-moi de toute façon devant l'entrée principale.

Il la dépassa et elle prit le couloir menant au quartier des infirmières.

Dans sa chambre, elle choisit une petite robe bleue, assortie à la couleur de ses yeux.

Nick était déjà devant la porte, dans sa vieille Rover, lorsqu'elle y arriva. Les yeux brillants, il la regarda passer sous la voûte et venir vers lui.

— Où allons-nous, Madge ? Au *Collini ?*

Elle acquiesça. C'était ensemble qu'ils avaient découvert le petit restaurant. Il était normal qu'il eût envie d'y retourner le soir où ils se retrouvaient.

Nick gara la voiture et ils allèrent à pied jusqu'à l'auberge.

— J'y suis venue il n'y a pas longtemps avec Tom, dit Madge.

— Pourquoi ne me l'as-tu pas dit ? Nous serions allés ailleurs ?

— Mais, pourquoi ? J'aime beaucoup cet endroit !

— Je suppose que tu es souvent sortie avec mon frère en mon absence ?

— Non. A l'occasion, mais pas souvent. La dernière fois, il voulait m'exposer les raisons de ton retour.

— Mais, je t'avais télégraphié !

— Oui, mais ton télégramme ne m'apprenait pas grand-chose. Tom en savait plus long. Il savait, par exemple, que tu arriverais en compagnie de ton malade et qu'on le conduirait immédiatement à l'hôpital.

Nick parut contrit.

— Excuse-moi d'être aussi illogique. Je suis peut-être un tout petit peu jaloux de mon frère, après tout...

— Tu n'as aucune raison de l'être. Tom est tout simplement un homme compréhensif, généreux, qui a essayé autant qu'il l'a pu de me distraire de ton absence, dont je souffrais parfois.

Signor Collini les guida jusqu'à leur table favorite. Bien que Nick ne fût pas venu depuis presque un an, il l'avait tout de suite reconnu et avait été chaleureux.

Lorsque l'expansif restaurateur se fut éloigné, Nick plaisanta :

— Il me donne l'impression que je rentre dans ma famille !

En mangeant les hors-d'œuvre, il demanda :

— Maintenant, dis-moi ce que tu as fait pendant tout ce temps, Madge...

— Pas grand-chose, en dehors de mon travail. Tu as bien reçu mes lettres ?

— Oui, elles m'arrivaient avec une remarquable régularité. J'ai bien peur de n'avoir pas été à ta hauteur, sur ce chapitre.

— Tu as donc à me dire beaucoup plus de choses que je n'en ai à t'apprendre ! D'abord, comment trouves-tu al-Madaniya ?

— Je m'y plaisais beaucoup. Bien sûr, ce n'est pas le genre « villégiature pour gens du monde », avec bridge et tasse de thé, mais enfin... Si on ne craint pas la chaleur et les insectes, la vie est douce. J'habitais un très joli bungalow, à la limite du désert. J'avais l'air conditionné et une piscine. Et des domestiques, bien sûr. Quant à l'hôpital, eh bien, l'émir n'a pas regardé à la dépense ! Il est aussi moderne que possible et doté des équipements les plus perfectionnés. Cependant, peu de lits sont occupés. C'est drôle, mais on dirait que les gens de là-bas répugnent à aller à l'hôpital. Je suppose qu'ils ne sont pas encore habitués à trouver devant leur porte tout ce que la science moderne a de mieux à offrir, et ils en ont un peu peur. Quand ils auront pris confiance, alors les infirmières et les médecins ne sauront plus où donner de la tête.

— Tu as connu une expérience fascinante, en somme. Revenir à l'hôpital Sainte-Anne doit t'apparaître comme une rétrogradation ?

— J'aurai sûrement beaucoup plus de travail ici ! s'écria Nick en souriant. Là-bas, je menais une vie de lotophage (*). En dehors de mes heures de service, je nageais dans ma piscine privée, jouais au tennis ou au golf. Il y a aussi un club très fermé réservé aux plus importants des notables et aux résidents étrangers. Je dois bien l'avouer : vivre à al-Madaniya, c'est vivre comme dans un rêve.

Madge, en l'écoutant, éprouvait une sorte de malaise. Il y avait plus qu'un simple regret dans la voix de Nick. Etait-il déçu que sa mission eût pris fin ? Aurait-il préféré rester là-bas encore quelques mois ?

Elle avait dû trahir son désappointement, car il lui prit la main.

— Mais, c'est très agréable d'être de nouveau auprès de toi, ma chérie. Mille joies à al-Madaniya ne valent pas celle que j'éprouve de t'avoir à côté de moi...

Pendant leur retour à l'hôpital, Madge se rendit compte qu'ils n'avaient à aucun moment évoqué leur avenir commun.

Nick arrêta la voiture dans une petite rue sombre voisine de l'hôpital. Se tournant vers Madge, il la prit dans ses bras.

Le baiser qu'il lui donna, d'abord discret et tendre, devint de plus en plus insistant.

(*) Les Lotophages (« Mangeurs de lotus ») constituaient un peuple très accueillant qu'Homère a évoqué dans l'*Odyssée*.

Ce fut elle qui, à la fin, le repoussa doucement.

— Nick..., nous n'avons guère parlé de... de nous deux.

— De nous deux ? C'est-à-dire ?

— Il me semble que nous devrions fixer une date pour...

— Pour notre mariage ?

Il tira un paquet de cigarettes de sa poche, en alluma une.

— Je pense que nous pouvons laisser cette question en suspens pour quelque temps. Actuellement, tu es l'infirmière privée de Yasmine et je suis son médecin personnel ; nous avons une tâche urgente à accomplir et qui risque de nous demander pas mal d'efforts pendant quelques semaines. Nous parlerons de cela plus tard, quand elle sera repartie...

« Il a raison », se dit Madge. Mais, elle était déçue. En attendant son retour, elle avait maintes fois imaginé qu'il aurait à cœur de faire des plans, de décider avec elle de la date de leur union, de l'endroit où ils iraient passer leur voyage de noces, du genre d'appartement ou de maison où ils s'installeraient.

Maintenant, après qu'elle avait patienté durant presque un an, il lui demandait d'attendre encore pendant des semaines, peut-être même des mois.

Elle surmonta son regret avec courage :

— Naturellement, Nick, je comprends...

Puis, regardant sa montre, elle dit :

— Il faut que je te quitte. La surveillante est très stricte quant aux horaires ; elle n'admet pas que nous rentrions après 22 heures sans autorisation spéciale.

Il remit l'auto en route et déposa Madge à l'entrée de l'hôpital. Ils échangèrent un dernier baiser, rapide.

— Bonne nuit, ma chérie. Je te verrai demain, probablement au chevet de la princesse.

Elle descendit. Ce ne fut que lorsqu'il fut reparti qu'elle se mit en marche.

Elle se disait qu'elle aurait dû être heureuse. Nick était de retour. Ils se marieraient... bientôt. Et pourtant elle ne l'était pas. Nick n'était plus le même... Le changement était très subtil, difficilement explicable, mais elle le ressentait fortement.

Elle se reprocha de manquer de sagesse. Il n'était là que depuis quelques heures. Si elle patientait un peu, elle allait le retrouver tel qu'il était avant de partir pour al-Madaniya, avec sa gaieté, son enjouement, ce caractère heureux qui l'avait séduite. Tel enfin qu'elle l'avait aimé...

Au matin Madge se rendit dans l'aile réservée où se trouvait la chambre de la princesse Yasmine.

Celle-ci l'accueillit avec joie. Mais, l'expérience que Madge avait des malades lui permit de discerner, sous le sourire et l'air serein de la jeune fille, une certaine inquiétude.

Tout en regardant le tableau accroché au pied du lit, elle demanda :

— Comment avez-vous passé la nuit ?

— Je n'ai pas bien dormi, mais je pense que c'est normal. Un lit dont on n'a pas l'habitude, dans un endroit qui vous est étranger, cela rend toujours les premières nuits difficiles.

Un peu plus tard on vint chercher la princesse pour les examens prévus et Madge l'accompagna.

Tom les attendait, avec ce visage souriant et paisible qui mettait toujours les patients en confiance.

On installa la princesse sur la table.

— Ce ne sera pas long, princesse ! dit le médecin. J'ai étudié les radios qui ont été prises chez vous... Mais, je veux simplement me rendre compte par moi-même.

C'était en réalité un travail minutieux et fatigant, mais la jeune fille supporta l'examen avec beaucoup de docilité et de courage, sans manifester d'impatience.

Quand ce fut terminé, Madge la raccompagna à sa chambre.

Le visage de Yasmine, d'habitude enjoué, reflétait cette fois crûment sa fatigue et sa lassitude.

— Il vous faut essayer de dormir un peu, dit Madge. Vous verrez vos deux médecins tout à l'heure, mais il faut d'abord que vous vous reposiez bien.

La princesse ferma les yeux. Et un instant plus tard elle dormait. Les tests qu'elle avait subis, après une nuit de veille, l'avaient épuisée.

Lorsque Nick arriva, en blouse blanche, le stéthoscope pendu au cou, Madge mit un doigt sur ses lèvres.

— Chut ! J'espère bien que tu ne vas pas la réveiller ?

Nick regarda la tête brune sur l'oreiller.

— Non. Je venais simplement voir comment elle avait supporté l'examen.

— Elle n'en pouvait plus et elle s'est endormie presque tout de suite. Est-ce que tu as vu Tom depuis ?

Nick passa dans le couloir et fit signe à Madge de le suivre.

— Tom m'a téléphoné pour me dire qu'aucun délai n'était possible. Il faudra l'opérer dès demain matin. Il aurait préféré le faire cet après-midi, mais il estime qu'il faut une nuit complète de repos pour qu'elle soit en condition...

— Pauvre petite ! Il a bon espoir ?

— Il semble penser que je l'ai amenée ici juste à temps. Quelques jours de plus et ses chances de survie n'étaient plus que de cinquante pour cent. Plutôt moins.

Il repartit d'un pas rapide.

Madge rentra dans la chambre, s'assit près du lit.

Yasmine s'agitait dans son sommeil. Elle parlait dans la langue qui était la sienne mais que Madge ne comprenait pas. Mais, à plusieurs reprises elle prononça nettement le nom de Nick.

Madge se mordait les lèvres. Qu'est-ce que cela signifiait ? La princesse rêvait-elle de Nick ? Cela pouvait vouloir dire qu'elle était amoureuse de lui, ou plus simplement qu'elle pensait à lui jusque dans son sommeil...

— Je me sens mieux...

Madge leva les yeux pour se rendre compte que Yasmine avait le regard posé sur elle, peut-être déjà depuis un moment. Elle était encore assoupie mais semblait reposée.

— Je vais vous donner à boire.

Tandis que la petite princesse buvait, elle la soutenait, un bras derrière ses épaules, et veillait à ne lui laisser prendre que de toutes petites gorgées.

Quand ce fut fini, la princesse gémit :

— Je voudrais bien avaler quelque chose de solide ! J'ai l'impression qu'il y a des semaines que je n'ai fait que boire...

— Vous aurez tout ce que vous voudrez après l'opération.

— C'est bien vrai, ce que vous dites là ?

Yasmine regardait Madge de son regard noir, visiblement sceptique.

— C'est bien vrai ! Le docteur Tom Spender est un chirurgien remarquable. Il va vous remettre d'aplomb très vite.

— Je le voudrais bien ! Oh ! comme je le voudrais !

Les larmes avaient jailli des yeux de Yasmine, roulaient le long de ses joues.

— Tout ira très bien, princesse, j'en suis sûre ! s'écria Madge. A cette heure-ci, demain, tout sera terminé.

— On va m'opérer demain ?

Madge serra les lèvres : elle n'aurait pas dû laisser échapper ce qui lui avait été dit par Nick en confidence.

— Je le pense... Je le suppose, tout au moins.

— Mademoiselle Harman, puis-je vous poser une question ?

— Bien sûr. Mais, s'il s'agit des projets du médecin, je...

— Pas du tout ! Je voulais dire... Ne croyez-vous pas que vous pourriez m'appeler autrement que princesse ? Mon nom est Yasmine...

Madge était stupéfaite.

— Oh ! je crois que ce ne serait pas convenable ! Vous êtes quelqu'un de très important et je ne suis que...

— Vous êtes l'une des personnes les plus gentilles que j'aie rencontrée. J'espère que nous serons de bonnes amies. Si vous l'espérez aussi...

Madge souriait, attendrie.

— Eh bien..., je vous appellerai Yasmine, mais seulement quand nous serons seules !

— Très bien ! Moi, je vous appellerai Maggy...

La porte s'ouvrit devant Tom...

— Re-bonjour, princesse ! Comment vous sentez-vous maintenant ?

— Beaucoup mieux, merci, bien que j'aie encore mal à la gorge.

— Cela, c'est certainement dû aux instruments que j'ai employés pour l'examen. Ça ne durera pas.

— Quand pensez-vous m'opérer, docteur ?

— J'aimerais bien demain matin. Il n'y a aucune raison d'attendre plus longtemps...

Yasmine se força à sourire.

— Bien. Le plus tôt est souvent le mieux...

Ils parlèrent de choses et d'autres un petit moment, Tom plaisantant pour la rassurer, puis, après lui avoir annoncé que l'anesthésiste allait venir la voir, il se retira.

Yasmine tendit la main à Madge qui la serra et la garda.

— Eh bien, voilà, maintenant je sais que le pire est là, tout proche ! Vous m'accompagnerez à la salle d'opération, n'est-ce pas, Maggy ? J'aurai moins peur si vous êtes là.

Madge lui caressait la main.

— Je vous y accompagnerai. Et, ne vous faites pas de souci : tout se passera très bien. Je le sais...

CHAPITRE IV

La princesse avait demandé à Tom, dans la soirée, que Madge assistât à l'intervention.

Il avait acquiescé en souriant : « Entendu ! D'ailleurs, mademoiselle Marchant, qui m'assiste d'ordinaire, sera enchantée, j'en suis sûr, de pouvoir éventuellement compter sur l'aide d'une autre infirmière. »

Maintes fois durant l'intervention, Madge se sentit émerveillée par l'habileté et la patience de Tom. Car cela dura très longtemps...

C'était un travail non seulement long mais extrêmement complexe. Très souvent le regard de Madge allait à la pendule placée au-dessus de la porte. Une heure s'écoula, puis deux, puis trois...

Il était 13 h 30 lorsque Tom se redressa en portant la main à son dos douloureux.

— Ça ira ! lança-t-il.

Il quitta rapidement la salle.

Madge, elle, devait rester auprès de la

malade, dans la salle de réanimation, jusqu'à ce qu'elle reprît conscience.

Ce ne fut que longtemps après la fin de l'opération que les paupières se soulevèrent sur les larges prunelles sombres et qu'une petite voix balbutia :

— C'est terminé ?

Madge prit la main de Yasmine.

— Oui, c'est terminé. Vous allez regagner votre chambre.

La princesse poussa un gros soupir et referma les yeux.

Elle était encore assoupie lorsqu'on la transporta à sa chambre.

Madge, après avoir réglé le goutte-à-goutte fixé à son bras, s'assit à côté d'elle. Elle était très lasse mais elle s'astreignit à ne pas s'éloigner de Yasmine avant que celle-ci fût définitivement sortie du sommeil.

Vers 15 heures Nick vint jeter un coup d'œil.

— J'ai entendu dire que c'était un succès complet, chuchota-t-il. Tom paraît enchanté. Je viens juste de lui parler.

Il se pencha vers Madge, la regarda.

— Tu as l'air épuisée, Madge ! Ne puis-je pas te remplacer un moment ? Ainsi tu pourrais manger un morceau et dormir quelques minutes ?

Madge secoua la tête en souriant.

— Je préfère rester auprès d'elle.

Quand Nick fut reparti, elle s'assit au bord du lit.

Sur la table de chevet il y avait un livre. Elle le prit, le feuilleta.

C'était le livre sacré des musulmans, le Coran.

Madge ne lisait pas l'arabe, naturellement.

Elle reposait le livre lorsque quelque chose s'en échappa.

Elle le ramassa.

C'était une photo en couleurs dont la vue lui causa un choc. Car elle représentait Nick et Yasmine, debout, dans un jardin. Derrière eux il y avait une corbeille de fleurs. Le tout sur un fond de ciel extraordinairement bleu. Nick tenait Yasmine par la main. Ils semblaient tous deux rayonner de bonheur.

Madge remit la photo dans le livre.

Elle se demandait quel était exactement le degré d'intimité entre Nick et la princesse. S'aimaient-ils ?

Si cela était, Nick le lui aurait certainement avoué.

Et Yasmine n'était pas femme à manœuvrer pour s'attacher un homme fiancé à une autre.

Ils n'étaient que de bons amis !

Juste à cet instant la porte s'ouvrit et Tom entra.

— Elle dort encore ! s'écria-t-il en regardant la malade.

— Oui. Nick est passé la voir. Il m'a dit que l'intervention avait parfaitement réussi ?

— Je le crois. On peut raisonnablement espérer qu'elle n'aura plus d'ennuis. J'avais dit qu'elle avait entre quarante et soixante pour cent de chances avant. Maintenant ça oscille entre quatre-vingt-dix et cent... C'est un assez bon résultat ?

L'expression affectueuse qu'il avait en regardant Madge se nuança d'inquiétude :

— Vous me paraissez très fatiguée, vous ! Je viens de rencontrer Wainwright qui voulait venir vous relever. Vous devriez accepter ! Allez donc manger quelque chose !

Mais, Madge de nouveau secoua la tête.

— Je dois veiller sur la princesse ; je n'accepterai d'être relevée que quand elle sortira de sa léthargie.

Une petite voix lasse monta du lit :

— Je ne dors plus, Madge. Il faut aller vous reposer...

Ils se retournèrent.

— Comment vous sentez-vous, princesse ? demanda Tom en se rapprochant.

— Assommée et assoiffée.

— Il ne serait pas bon pour vous de boire ou de manger déjà. Essayez de dormir encore !

Yasmine regarda Madge.

— J'essaierai de dormir si vous allez manger.

Puis, comme l'infirmière hésitait, la princesse haussa le ton :

— Vous m'entendez, mademoiselle ? Je vous l'ordonne !

Mais, son sourire contredisait la sécheresse de la voix.

Madge s'inclina :

— Très bien, mais j'attendrai, si vous le permettez, que vous vous soyez rendormie, d'un vrai sommeil, naturel.

Dix minutes plus tard Yasmine dormait et une autre infirmière vint relever Madge. Tom, lui, avait déjà quitté la pièce.

Madge prit le chemin de la cantine.

Elle avait faim. Elle fit donc honneur au rosbif et à la tarte aux pommes.

— Vous allez grossir, Madge ! lança quelqu'un derrière elle.

S'étant retournée, elle vit le visage souriant de Jenny Wilson, une infirmière dont la chambre était voisine de la sienne.

— Comment va la princesse ? demanda Jenny Wilson en déposant son plateau sur la table.

— Elle semble avoir très bien supporté l'opération.

— Bravo ! D'après les bruits qui courent, il semble qu'elle n'aurait survécu que quelques jours sans cette opération...

Madge répugnait à parler de la princesse. Elle aimait bien Jenny Wilson, mais elle savait que celle-ci bavardait volontiers.

Pour s'éviter de répondre aux questions de sa collègue, elle dit qu'elle était attendue au secteur des « privés » et s'en alla.

Mais, elle ne retourna pas au chevet de Yasmine. Elle alla chercher un manteau dans sa chambre. Un moment plus tard, elle quittait l'hôpital. Elle avait quelques achats à faire et se dirigea vers le quartier commerçant. Faire du lèche-vitrines était toujours une joie et une détente pour elle.

Elle acheta des collants, un nouveau corsage et de la crème pour les mains à la pharmacie.

Le soleil brillait dans un ciel pur ; autour d'elle régnait l'animation joyeuse des rues de l'est londonien ; le bruit des véhicules de tous genres bourdonnait à ses oreilles.

Combien différente de ce quartier populeux où vivaient tant de pauvres gens devait être l'atmosphère qui régnait à al-Madaniya !

Tout en revenant vers l'hôpital, elle se demandait comment elle pourrait interroger Nick sur ses relations avec Yasmine...

Elle se dit enfin qu'il serait stupide de le faire. Il s'imaginerait qu'elle était jalouse.

Puis elle convint, désolée : « Peut-être suis-je jalouse, après tout... La princesse est si belle... Il pourrait difficilement ne pas l'aimer ! Mais alors..., pourquoi me laisse-t-il croire que nous sommes toujours liés ? Peut-être le père de Yasmine tolère-t-il leur amitié mais n'accepterait jamais qu'elle épouse un non-musulman ? Oh ! comment savoir ?... »

Une demi-heure plus tard, elle était dans la chambre de la princesse.

Celle-ci l'accueillit avec un sourire ravi. Elle était complètement réveillée et semblait d'excellente humeur.

— Avez-vous bien déjeuné, Maggy ? demanda-t-elle lorsqu'elles furent seules.

— Oui, merci.

— Qu'avez-vous mangé ?

Madge le lui dit.

— Oh ! ce que ça me ferait plaisir d'en avoir autant !... Je n'ai même pas eu droit à un verre d'eau.

Madge désigna le goutte-à-goutte.

— Vous n'avez besoin que de ça pour le moment ! Si vous buviez vous seriez malade. Vous ne voulez pas être malade, n'est-ce pas ?

— Bien sûr que non ! Oh ! Maggy, que je suis contente que cette opération ait eu lieu ! Maintenant, j'ai l'impression que je vais vraiment commencer à vivre.

Lorsque Nick pénétra dans la chambre le visage de Yasmine s'illumina.

— Docteur ! Je me sens déjà beaucoup mieux...

— Du calme ! Vous avez encore un bon bout de chemin à faire.

Il consulta le tableau, vérifia le goutte-à-goutte et dit à Madge :

— Tout me paraît parfait... D'après ce que je crois comprendre, votre tâche la plus importante serait d'œuvrer pour que notre princesse nous quitte le plus tôt possible ?

Yasmine se mit à rire.

— Je vais l'y aider, n'ayez crainte ! J'entends être la malade modèle. Vous verrez si je n'y parviens pas !

Nick allait se retirer, mais Yasmine le retint en disant :

— Docteur, j'espère que vous sortez mademoiselle Harman ce soir ?

Il se retourna, sourcils froncés.

Le regard de la princesse brillait de malice.

— Vous semblez oublier que vous allez l'épouser !

Il eut un rire contraint :

— Nos vies privées ne doivent en rien interférer sur nos relations à l'hôpital, princesse.

— Personne d'autre que nous ne le saura... Allons ! prenez rendez-vous pour ce soir ! Vite ! J'attends...

Nick se tourna vers Madge.

— Etes-vous libre ce soir, mademoiselle Harman ?

— Je pense que je pourrai me rendre libre...

Madge souriait...

— Alors je vous retrouve à 20 heures à l'endroit habituel ?

— Entendu, docteur !

Nick fit un clin d'œil à Yasmine et sortit très vite.

Madge secoua la tête.

— Je me permets de vous faire remarquer que vous n'aviez pas à intervenir pour ce qui concernait nos relations privées, princesse...

Yasmine fit la moue.

— Vous aviez promis de m'appeler Yasmine quand nous serions seules...

— Je ne sais qu'une chose, c'est qu'il est temps pour vous de vous reposer. Vous paraissez fatiguée...

Yasmine soupira :

— Ce que j'aimerais, moi, sortir ce soir avec un jeune et beau médecin ! Vous n'appréciez pas votre chance, Maggy !

Madge revit la photo de Nick et de Yasmine prise à al-Madaniya...

Elle se demanda ce que la jeune fille lui répondrait si elle lui posait la question. Mais, elle ne pouvait le faire. Elle ne devait en aucun cas risquer de lui causer la moindre émotion.

Outre la révélation qu'avait été cette photo,

il y avait aussi le fait que Yasmine appelait Nick dans son sommeil...

La princesse s'était pelotonnée et avait fermé les yeux. Elle tenta de les rouvrir deux ou trois fois mais bientôt elle s'endormit.

Madge, elle, pensait à Nick. Que lui diraitelle ce soir quand ils se retrouveraient ?

Lui parlerait-elle de cette photo ? Pouvaitelle l'interroger sur ses sentiments réels envers cette princesse venue d'Orient ?

CHAPITRE V

Nick était en retard. Il y avait environ vingt minutes que Madge l'attendait devant la porte de l'hôpital lorsqu'elle le vit arriver en courant. Il lui prit le bras.

— Excuse-moi de t'avoir fait attendre, ma chérie. La surveillante de la section militaire m'a agrippé... L'un de mes malades avait de la température et j'ai dû aller le voir. J'ai demandé à Jackson de s'en occuper...

— C'est sans importance, Nick !... C'est un des inconvénients qu'il y a à fréquenter un médecin...

— Tu as dîné ?

— Oui, il y a une heure.

— Alors, allons simplement prendre un café. Il faut que je te parle.

Ils allaient à pied, Nick tenant toujours le bras de Madge. Très vite ils furent dans une grande artère, au milieu de la foule.

Deux ou trois fois déjà ils étaient allés passer une demi-heure ensemble au *Baytree Coffee Shop*. Un peu plus tard dans la soirée, l'établissement serait envahi par des adolescents qui feraient fonctionner sans cesse le juke-box. Pour l'instant, c'était assez calme.

Tandis que Madge s'asseyait à une table placée contre la vitre, Nick alla au bar chercher lui-même les deux tasses de café.

En le regardant revenir, tenant précautionneusement ses deux tasses, elle reprit confiance. Elle ne lui parlerait pas de cette photo qu'elle avait vue. Après tout, n'avait-elle pas fait d'une taupinée une montagne ?

— Voilà ! dit-il triomphalement en déposant les deux tasses. Je n'en ai pas fait tomber une goutte.

Madge porta aussitôt sa tasse à ses lèvres, la reposa.

— Alors, qu'avais-tu à me dire ?

— Ah oui !... Le vieux Batchworth... Tu ne te souviens sûrement pas de lui ?

Elle secoua la tête.

— Non. Qui est-ce ? Un malade ?

— Il l'a été, oui, avant mon départ pour al-Madaniya. Il avait un ulcère. C'est moi qui m'occupais de lui.

— Bon, et alors ?

Elle se demandait ce qu'un malade, inconnu d'elle, pouvait bien avoir affaire avec leurs problèmes personnels.

Nick avala une gorgée de café avant de poursuivre :

— Il est agent immobilier. Cet après-midi, il m'a téléphoné. Moi, je l'avais complètement oublié, ce brave homme. Il a quitté l'hôpital guéri. Je crois qu'il m'est resté reconnaissant d'avoir préconisé un traitement médical plutôt qu'une intervention chirurgicale.

— Et qu'est-ce qu'il voulait ?

— Il m'a dit qu'il se souvenait d'une conversation que nous avions eue juste avant mon départ. Au sujet de location d'appartements. C'était à l'époque où je rassemblais tout mon courage pour te demander de m'épouser, Madge.

Le cœur de Madge battit très fort. Un appartement ! Un endroit où vivre à deux... Cela signifiait-il... ?

Nick continua :

— Il m'a dit qu'il n'avait jamais oublié ce petit entretien, mais que jusqu'à maintenant il n'avait rien pu faire pour moi. Le genre d'appartement que je désirais semblait ne pas exister. Mais ce matin il s'est produit un fait nouveau.

Elle attendait, le souffle suspendu. Il reposa sa tasse et mit sa main sur la sienne. Ses yeux lui souriaient.

— Monsieur Batchworth m'a dit qu'un homme était venu à son bureau pour lui demander de l'aider. Lui et sa femme viennent d'acheter une maison dans le Nord où il va avoir un emploi. Ils doivent donc quitter l'appartement qu'ils occupent...

— Et... nous serions les premiers sur cette affaire ?

— Voilà ! Seulement, d'après monsieur Batchworth, il n'y a pas de temps à perdre. Evidemment, il s'agit d'un appartement dans un immeuble moderne, avec tout le confort. Le loyer doit être assez élevé, mais... je pense qu'on peut s'offrir ça.

Tous les doutes de Madge s'étaient évanouis. Elle regardait Nick avec des yeux humides.

— Oh ! Nick, ça veut dire que nous allons pouvoir nous marier ?... Nous aurons un foyer à nous ?

Il rit franchement.

— Doucement, ne t'emballe pas ! J'ai dit à monsieur Batchworth que nous viendrions visiter. Il est possible qu'en dépit de ce qu'en dit le vieux bonhomme ce ne soit pas faisable.

— On peut y aller ce soir même ?

— Pourquoi pas ? Tu as fini ton café ? Eh bien, nous n'avons qu'à aller chercher ma voiture ! Cet appartement est à l'ouest, pas loin d'Oxford Street.

Elle eut l'impression de marcher sur un coussin d'air en quittant le café...

La résidence Playbourne était un grand bloc de brique rouge situé dans une petite rue.

Nick amena la voiture jusqu'au bas d'un perron qui conduisait à l'entrée principale.

Ils entrèrent.

Arrivé à la porte de l'ascenseur, Nick appuya sur le bouton, mais en vain. Il recommença, toujours sans résultat.

— Quelqu'un a dû mal fermer une porte !

— Un quatrième étage, ce n'est pas terrible, dit Madge.

Ils trouvèrent la porte de l'appartement 36 tout au fond d'un couloir mal éclairé.

Un homme brun et chauve répondit à leur coup de sonnette.

Par la porte entrebâillée il les regardait avec suspicion.

— Oui ?

— Je suis le docteur Spender et mademoiselle Harman, que voici, est ma fiancée. Monsieur Batchworth nous a conseillé de prendre contact avec vous au sujet de votre appartement...

L'homme se mit sur le côté.

— Entrez...

Puis, se retournant, il appela :

— Myra ! C'est quelqu'un qui veut visiter l'appartement !

Une femme d'âge moyen — bien vêtue et les cheveux teints — sortit d'une pièce située sur la droite. Elle fit à Nick un sourire aguichant.

— Vous désirez voir l'appartement ? Il n'est pas très correct de la part de l'agence de vous adresser à nous sans nous avoir avertis. Mais, puisque vous êtes là...

Elle les précéda jusqu'à un grand salon, dans la cheminée duquel brillaient de fausses bûches illuminées électriquement tandis que régnait une chaleur suffocante venant de radiateurs placés contre les murs.

— Veuillez vous asseoir et nous parler de vous, dit-elle. Nous nous appelons Dyson... Monsieur et madame Dyson... Vous le saviez, bien entendu.

Nick sourit par politesse.

Elle leur avait désigné pour s'asseoir un canapé placé devant la cheminée tandis qu'elle-même et son mari avaient pris place dans deux fauteuils confortables situés chacun à une extrémité du canapé. De là ils observaient leurs visiteurs avec beaucoup d'intérêt.

— Je suis médecin consultant à l'hôpital Sainte-Anne, à l'autre bout de la ville, et mademoiselle Harman, ma fiancée, y tra-

vaille comme infirmière. Nous espérons nous marier sous peu.

Monsieur Dyson hocha la tête d'un air entendu.

— Et vous cherchez à vous loger, hein ? Ah ! ce n'est pas facile !

— Nous n'avons pas vraiment cherché. En fait, votre appartement est le premier que nous visitons.

La conversation dévia sur d'autres sujets, puis M. Dyson dit aux visiteurs qu'il serait peut-être intéressant pour eux de visiter les autres pièces.

Cela ne prit pas longtemps.

Il y avait encore une grande chambre, une petite que Myra Dyson appelait pompeusement « la chambre d'amis » — Madge s'était demandé ce qu'on pourrait mettre de plus qu'un lit —, enfin une cuisine convenable et une salle de bains.

— A combien se monte le loyer ? demanda Nick.

Monsieur Dyson énonça un chiffre qui parut très grand à Madge.

— J'ai un bail sur lequel il reste cinq ans à courir. Je compte aussi tirer parti de cet avantage.

Madge eut une crispation. Elle avait noté, en faisant le tour de l'appartement, que depuis leur installation, sans doute, les Dyson n'avaient rien amélioré, rien changé : le pa-

pier était fané, la peinture sale, les plafonds étaient craquelés et gris. La remise en état représenterait des frais considérables.

Ils étaient dans les vestibule.

Nick conclut :

— Eh bien, merci, monsieur Dyson, de nous avoir permis de jeter un coup d'œil ! Nous allons en parler, ma fiancée et moi, et dans deux ou trois jours je vous donnerai notre réponse.

Monsieur Dyson fit la moue.

— Je voudrais être fixé plus tôt que cela. Disons demain ?...

— Bon. Je vous promets que demain soir je vous dirai oui ou non. Bonsoir...

Tandis qu'ils descendaient l'escalier — l'ascenseur était toujours bloqué —, Nick murmura :

— Eh bien, maintenant, nous savons ce que cela représente de vouloir trouver un appartement dans l'ouest de Londres!

— Le loyer est très cher. A un prix pareil il est anormal de devoir payer une reprise...

— Non, c'est logique. Seulement il est évident que si nous pouvons, à la rigueur, payer un tel loyer, la reprise remet tout en question.

— Et tu as remarqué la décoration ? C'est dans un état lamentable !

— Oui. Je dois dire que, pour rendre ça habitable, il y aura du travail ! Mais, peut-être qu'en marchandant... Batchworth m'a dit

que son nouvel emploi dans le Nord obligeait Dyson à partir dans quelques jours. Il ne quittera pas Londres sans avoir réglé cette affaire d'appartement. Il est forcément pressé de conclure...

En traversant le hall sinistre, Madge soupira.

Elle voulait se marier avec Nick, mais... avait-elle envie de vivre à la résidence Playbourne ? L'exaltation qu'elle avait éprouvée était tombée...

Ils roulèrent vers l'hôpital en silence.

Ce ne fut qu'arrivé devant l'entrée voûtée que Nick dit :

— Pour la reprise du bail, il va falloir que j'emprunte de l'argent.

Madge eut un sursaut.

— Nous n'allons pas commencer notre vie conjugale en nous endettant !

— Mais, comment veux-tu trouver l'argent nécessaire pour s'installer à Londres ? Tout le monde est obligé de contracter des emprunts. Du moins parmi les gens qui travaillent pour vivre...

— Alors cherchons en dehors de Londres ! Pourquoi pas en banlieue ? On devrait pouvoir trouver une petite maison.

— Pas à louer. A acheter, oui... Ce sera pareil : nous devrons emprunter. D'autre part, ce ne sera pas très pratique pour moi, si je garde ma situation à *Sainte-Anne,* de faire le voyage matin et soir. Et quand je dis matin et soir, je suis optimiste ! Les médecins consultants, dont je suis, sont à la disposition de l'hôpital en cas d'urgence. Non, une maison à la campagne...

— Pas forcément à la campagne ! En grande banlieue ?

— C'est hors de question !

— Alors qu'allons-nous faire ?

Nick attira Madge, l'embrassa.

— La nuit porte conseil ! Je retournerai voir Dyson demain. Et s'il n'accepte pas l'offre que j'aurai décidé de lui faire, nous nous mettrons en quête d'un autre appartement. Va te reposer et dors bien, sans penser à tout ça.

Regagnant tristement sa chambre, Madge se disait que son mariage n'était pas pour le lendemain.

Deviendrait-elle même un jour l'épouse de Nick ? Elle commençait à en douter sérieusement...

Lorsqu'elle eut terminé son service, le lendemain, Madge fut appelée au téléphone. C'était Nick.

« — Je suis retourné voir Dyson ! » annonça-t-il.

« — Alors ? »

« — Il m'a presque mis à la porte ! A

mon idée, il a un autre amateur. Il a tout de suite essayé de me demander le maximum et quand j'ai refusé il a coupé les ponts. »

« — Oh ! ça ne fait rien, Nick ! soupira Madge. Au fond je n'avais aucune envie d'aller habiter là-dedans. »

« — Qu'est-ce qu'on décide, alors ? »

« — On va encore chercher. Nous finirons bien par trouver quelque chose ! »

« — Je te trouve optimiste ! Je viens justement d'en parler à Ronnie Fairton, un de nos pathologistes, et il m'a dit qu'avant de se marier sa femme et lui avaient cherché pendant dix-huit mois un logement... Ça paraît sans espoir ! »

« — Nous ne pouvons renoncer, Nick ! La seule chose à faire est de chercher... »

Quand elle eut raccroché, Madge avait le sentiment pénible qu'au fond Nick n'était pas tellement désireux de trouver un logement convenable.

Ce n'était qu'une impression et peut-être était-elle injuste. Pourtant, quand il lui avait dit que M. Dyson s'était montré intraitable, elle avait perçu comme une note de satisfaction dans sa voix.

Ensuite, il avait raccroché sans lui avoir demandé s'ils se verraient ce soir.

Quand elle eut dîné, Madge décida de monter jusqu'à la chambre de la princesse.

Celle-ci lui avait dit qu'elle ne supporterait pas longtemps Mlle Bolton, qui devait en principe la seconder.

« Je ne l'aime pas, Maggy, avait-elle dit. Je ne suis bien qu'avec vous ! »

« C'est une excellente infirmière ! »

« Peut-être, mais je vous répète que je ne la supporte pas ! »

« Bon. Je vous promets de venir vous voir si j'en ai le temps... »

Elle comprenait que Yasmine eût besoin de sympathie. Elle se trouvait très seule. Les rares visiteurs qu'elle recevait étaient des membres de l'ambassade d'al-Madaniya, des gens d'une déférence cérémonieuse qui la fatiguaient plus qu'ils ne la distrayaient.

Elle se dirigea vers l'aile des « privés »...

En arrivant au coude du couloir, elle fut surprise d'apercevoir Nick.

La porte était entrebâillée et il semblait hésiter, comme s'il se demandait s'il devait entrer ou non.

Il n'entendit pas Madge approcher. Toute son attention était concentrée sur ce qui se passait dans la chambre.

Elle regarda de loin par-dessus son épaule.

Un homme jeune était assis près du lit de Yasmine, un homme charmant, aux cheveux noirs et à la peau cuivrée. Il lui tenait la main et lui parlait à voix basse. Et Yasmine lui souriait avec tendresse.

Le regard de Madge se reporta sur Nick.

L'expression qu'elle lui vit la fit frémir. Ses yeux étaient amincis, ses lèvres n'étaient plus qu'une ligne dure. La présence de cet homme auprès de la princesse le contrariait visiblement.

Comme s'il avait senti sa présence, il se retourna. En l'apercevant, il fronça les sourcils.

— Bonsoir ! Je ne m'attendais pas à ce que tu viennes ici à cette heure. Je croyais que tu avais terminé ton service ?

— J'ai terminé mon service. Je voulais passer une demi-heure auprès de la princesse. Mais, je vois qu'elle a une visite...

Yasmine, ayant entendu leurs voix, appela :

— Docteur ! Et vous, mademoiselle Harman ! Venez que je vous présente à mon cousin. Il est venu d'al-Madaniya pour me voir...

Ils entrèrent ensemble.

— Docteur, je pense que vous vous souvenez du prince Hamid ? Je crois que vous vous êtes déjà rencontrés...

Nick tendit la main en s'inclinant légèrement.

— Bonsoir, prince. Je suis sûr que la princesse a été très heureuse de vous voir.

Les beaux yeux noirs qui brillaient, les

dents splendides de régularité et de blancheur du prince quand il souriait, donnaient à son visage une grâce et une beauté parfaites.

— Je l'espère. Elle sait combien je lui suis attaché...

CHAPITRE VI

Lydie Bolton, qui s'affairait dans un coin de la pièce, se rapprocha du groupe et dit :

— J'estime que la princesse s'est suffisamment agitée... Qu'en pensez-vous, docteur ?

Nick approuva :

— Vous avez raison, mademoiselle Bolton. Je pense qu'il serait préférable que vous vous retiriez, prince. Vous pourrez revenir demain...

— Très bien.

Le visiteur avait répondu en souriant. Puis, après avoir dit quelques mots en arabe à la princesse Yasmine et lui avoir baisé la main, il salua brièvement les autres et sortit.

— Je crois qu'il serait sage que je m'en aille aussi, dit Madge. Je vous verrai demain, princesse.

Elle était sur les pas du prince Hamid.

Il se tourna vers elle.

— Etes-vous une amie de ma cousine ?

— Non, je ne suis que son infirmière de jour. Si je ne suis pas en uniforme, c'est parce que je ne suis plus de service.

— Peut-être pourriez-vous me dire comment elle va... Je veux dire comme elle va réellement... Je ne sais que ce que publient les services de l'ambassade : ils disent que son état évolue favorablement. Mais, vous en savez plus long, vous...

— Je ne crois pas, dit Madge en souriant.

Hamid regarda alentour...

— N'y a-t-il pas un endroit où nous pourrions bavarder devant une tasse de café ?

— Il y a la cantine. Ce n'est pas un endroit digne de vous, prince, mais...

— Que savez-vous des endroits que je fréquente ? répliqua gaiement Hamid. Une cantine, cela me convient parfaitement...

Ils allèrent à la cantine et s'installèrent dans un coin. Le dîner avait été servi de bonne heure et la salle était presque vide...

— Quand avez-vous quitté al-Madaniya ? demanda Madge.

— Très tôt ce matin. C'est en revenant du désert — j'ai la responsabilité de quelques puits de pétrole — que j'ai appris que ma cousine avait quitté l'émirat. Je suis parti dès que possible.

— Vous devez être fatigué...

— J'ai dormi un peu dans l'avion. Mais,

parlez-moi de ma cousine. Elle va vraiment mieux ?

Tout le cœur de Madge allait à ce garçon si beau, si jeune, qui avait bondi dans un avion, à l'autre bout du monde, pour rejoindre celle que visiblement il aimait.

— Je puis vous assurer qu'elle est en voie de guérison. Le docteur Spender — le frère de Nick Spender — est un excellent chirurgien et il a parfaitement réussi l'opération. Il est très optimiste en ce qui concerne la princesse...

— *Al-hamdou lillah !* (*) murmura Hamid. Vous savez, mademoiselle, bien qu'elle ne m'aime pas, je l'aime. Je l'aime depuis longtemps, en fait depuis que nous étions enfants...

— Elle semble vous être très attachée.

— Attachée, oui... Mais, ce n'est pas de l'amour. Je crois qu'elle en aime un autre...

Hamid finit de boire son café et se leva...

— Il faut à présent que je me rende au siège de l'ambassade... Vous avez été très aimable, mademoiselle, de bien vouloir m'accorder ces quelques minutes pour me donner des nouvelles de ma cousine. J'espère que nous nous reverrons !

— Sans aucun doute, si vous venez voir la princesse aux heures où je suis auprès

---

(*) Louanges à Dieu !

d'elle. Je vais vous montrer le chemin pour repartir... *Sainte-Anne* est un vieil hôpital et il est assez difficile de se diriger quand on ne le connaît pas bien.

En chemin ils rencontrèrent Tom.

Celui-ci allait passer sans rien dire, mais Madge l'arrêta en disant :

— Monsieur est un cousin de la princesse Yasmine, et il a fait spécialement le voyage pour la voir. Prince Hamid, je vous présente le chirurgien qui a opéré la princesse, le docteur Spender, Tom Spender... Le prince est assez inquiet et je pense que personne mieux que vous ne pourrait le rassurer...

Tom serra chaleureusement la main que lui tendait Hamid.

— Ravi de vous connaître... Pour ce qui concerne la princesse, je puis vous affirmer que son état est des plus satisfaisants. Je pense que bientôt elle pourra rentrer chez elle.

— Merci, docteur ! Je suis très heureux de ce que vous me dites. Maintenant, je vous demande de m'excuser... Merci beaucoup, mademoiselle Harman... Bonsoir.

Il partit à pas rapides.

Tom sourit à Madge...

— Charmant, ce garçon !... J'ai l'impression que la princesse lui est plus chère que ne lui serait une simple cousine.

Elle ne répondit pas. Comme elle se dirigeait vers la partie du bâtiment réservé aux infirmières, il lui emboîta le pas.

— Nick m'a dit que vous aviez un appartement en vue. Ça a marché ?

Madge secoua la tête.

— Non. L'actuel locataire demande beaucoup trop pour le rachat du bail.

— Sinon cet appartement vous aurait plu ?

— Pas tellement ! Mais, en attendant de trouver mieux...

— Nick ne m'a pas dit qu'il y avait une reprise de bail. Combien en veut-il, cet homme-là ?

En entendant le montant, Tom haussa les sourcils.

— Evidemment, ce n'est pas donné ! Cependant, vous auriez pu le prendre, et quand vous auriez trouvé autre chose vous auriez à votre tour récupéré une partie de votre argent en recédant le droit au bail.

— Mais, Nick ne dispose pas d'une pareille somme !

Tom parut surpris.

— Je la lui aurais prêtée, il le sait parfaitement. Peut-être n'avait-il nulle envie d'habiter là ?

— C'est possible, murmura Madge.

Au bout du couloir ils se séparèrent.

En montant à l'étage, Madge entendait les paroles que venait de prononcer Tom : « Je la lui aurais prêtée, il le sait parfaitement... »

Elle se souvenait que Nick, quand il avait parlé d'emprunt, n'avait fait aucune allusion à Tom.

Peut-être était-ce de sa part une question d'orgueil ? Il ne voulait pas faire appel à son frère... Mais enfin..., s'il avait *voulu* s'installer dans cet appartement — s'il avait voulu se marier prochainement —, il aurait fait taire son orgueil et accepté l'aide de Tom...

La vie n'était décidément pas facile !...

Nick et Madge visitèrent plusieurs appartements, ainsi que des pavillons, toujours dans les quartiers ouest de Londres.

Mais à chaque fois quelque chose n'allait pas. Ou le loyer était exorbitant, ou il fallait racheter le bail, ou le voisinage ne convenait pas.

Madge commençait à désespérer : il lui semblait que Nick feignait de chercher un endroit où ils pourraient vivre ensemble...

Le seul élément positif de ces journées était l'amélioration de l'état de Yasmine.

Hamid venait la voir régulièrement.

— Quand pensez-vous qu'elle pourra rentrer à al-Madaniya ? demanda-t-il un jour à Madge.

— C'est au docteur Spender qu'il faut poser la question, répondit Madge. Personnellement j'ai l'impression qu'elle pourra rentrer bientôt...

— Je l'espère. L'ambassadeur m'a dit ce matin que mon oncle, l'émir, commence à manifester quelque impatience.

Hamid disait cela lorsque Nick entra dans la pièce.

Le prince se tourna vers lui et posa de nouveau la question.

Nick eut une moue dubitative...

— Je ne peux vraiment pas répondre à cette question, prince. On ne pourra la laisser repartir que quand elle sera complètement rétablie...

— Bien sûr ! Je n'ai pas l'intention de me mêler de ce qui regarde les seuls médecins...

Nick se retourna vers Yasmine.

— Qu'en pense la princesse ? Est-elle pressée de nous quitter ?

Madge se demandait quel était le sentiment de Nick lui-même quand il envisageait le départ de Yasmine. N'était-il pas tenté de le retarder au maximum ?

Une fois qu'elle se serait envolée vers al-Madaniya, il ne la reverrait plus. Et si elle lui était devenue très chère, comme Madge en avait parfois l'impression, alors... alors...

Ses réflexions furent interrompues par l'arrivée de Tom.

En voyant le groupe qui entourait le lit, Tom fronça les sourcils.

— Vous me paraissez avoir beaucoup de visiteurs, ce matin, princesse ! Comment vous sentez-vous ?

— Très bien ! Le prince, mon cousin, était en train de demander dans combien de temps je pourrais retourner à al-Madaniya... Vous pouvez peut-être nous le dire, vous, docteur ? Votre frère, lui, ne semble pas pressé de me voir partir...

Tout en parlant elle regardait Nick avec des yeux brillants.

— Et vous ? demanda Tom. Etes-vous pressée de vous en aller ?

— Oui, sincèrement... Je commence à étouffer dans cette petite chambre. Je me languis un peu du palais...

Confuse, elle se reprit :

— Evidemment, je regretterai tous ceux qui, dans cet hôpital, se sont montrés si gentils envers moi...

Elle avait eu un regard d'excuse pour Madge, puis pour Nick.

— En vérité, reprit Tom, j'étais venu vous apporter des nouvelles. Je sors du bureau de l'administrateur. Il a reçu un coup de fil de votre ambassade. Votre père a demandé que l'on fasse le nécessaire pour que vous retourniez à al-Madaniya aussitôt que vous serez en état de faire le voyage. Il y a, paraît-il, une grande fête officielle en perspective pour laquelle il voudrait que vous soyez présente...

— Oui, je vois, c'est son anniversaire. Dans huit jours. Tous ses sujets seront rassemblés pour la circonstance. Il est normal qu'il souhaite que sa fille unique soit là...

Hamid intervint, une expression d'inquiétude dans le regard :

— Mais, il ne faut pas compromettre sa convalescence pour cela, n'est-ce pas, docteur ?

Tom haussa les épaules.

— Dans quelques jours elle devrait pouvoir faire le voyage sans risque. Je ne vois aucune raison pour qu'elle y renonce. Dans un avion-ambulance elle sera aussi confortablement installée qu'elle l'est ici.

Nick protesta :

— A mon avis elle a besoin de quinze jours, peut-être même de trois semaines de repos complet. Tu ne peux nier que ce départ serait prématuré, Tom !

— Pas du tout ! La princesse a supporté l'opération magnifiquement et dans quelques jours elle pourrait voyager en avion.

Madge observait Nick. Elle vit ses traits se contracter.

Il coupa sèchement :

— D'accord, tu es en mesure d'imposer tes conclusions, Tom !

Après un bref sourire à Yasmine, il quitta la chambre d'un pas rapide.

Tom s'en alla un moment plus tard.

Ce fut ensuite le tour de Hamid qui désirait se rendre à l'ambassade pour prendre connaissance du message exact de l'émir.

Madge seule resta auprès de la malade.

— Vous exultez à la pensée que dans quelques jours vous serez là-bas, n'est-ce pas ? dit-elle.

— Dans un sens, oui... Mais, la pensée de vous quitter m'attriste. Je me suis beaucoup attachée à vous, Maggy.

— Oh ! vous m'oublierez vite ! Vous aurez votre père, votre famille et... et Hamid.

Yasmine soupira.

— Oh ! Hamid !... Depuis notre enfance mon père et ses conseillers espèrent que je l'épouserai. Mais, ayant passé quelques années en Angleterre, j'ai acquis une certaine mentalité... Hamid est un charmant garçon, mais...

Après une hésitation, Madge demanda :

— Seriez-vous amoureuse d'un autre homme, prin... Yasmine ?

Durant quelques secondes la princesse réfléchit.

Enfin elle secoua la tête.

— Non. A un moment donné je l'ai cru, mais je me suis rendu compte que ce n'était de ma part que le fait d'une imagination un peu puérile... Une crise d'adolescence. C'est dépassé... Je n'y pense plus.

Madge n'ajouta rien. Mais, quand elle partit, ayant terminé son service, elle avait le cœur très lourd...

Elle n'avait plus aucun doute : Yasmine aimait Nick, mais il lui était interdit d'épouser quelqu'un qui ne fût pas de sa religion.

Il était souhaitable qu'elle repartît au plus tôt. Des milliers de kilomètres les sépareraient. Peu à peu — si Nick était bien celui qu'elle aimait — elle finirait par l'oublier. Et lui aussi, sans doute, l'oublierait. Avec le temps...

Madge était en train de se changer quand on l'appela au téléphone. Elle pensa que c'était Nick, qui voulait lui proposer de sortir avec lui.

C'était lui, en effet, et si excité qu'il pouvait à peine parler :

« — C'est toi, Madge ? Est-ce que je peux te voir ? C'est très, très important. »

« — Je me préparais à descendre dîner... »

« — Eh bien, tu ne dîneras pas ! Ou plutôt tu mangeras plus tard... Tu peux me rejoindre dans un quart d'heure ? A l'endroit habituel... »

Madge soupira. Il avait dû trouver encore un appartement à visiter. Et évidemment il voulait qu'ils y allassent tout de suite...

« — D'accord, dans un quart d'heure ! » dit-elle d'une voix lasse.

De la voûte Madge aperçut Nick, qui l'attendait avec impatience... Elle pressa le pas...

— Monte vite !

Elle prit place.

— Qu'est-ce qui se passe ? Tu avais l'air très excité au téléphone. Tu as enfin trouvé l'appartement de tes rêves ?

Il fit non de la tête, et démarra.

— On va rouler un peu et je t'expliquerai.

S'étant engagé dans une petite rue latérale, hors de vue de l'entrée de l'hôpital, il stoppa et tourna vers elle un regard brillant.

— Tu ne peux imaginer ce qui nous arrive, Madge ! Il y a une demi-heure, Priestley, l'administrateur, m'a fait appeler. Dans son bureau, il y avait Tom...

Elle attendait la suite. Quelque chose lui disait que ce qu'elle allait entendre pouvait faire son bonheur ou son malheur.

Quand Nick reprit la parole, elle retint son souffle pour l'écouter.

— L'ambassade d'al-Madaniya avait retéléphoné dans l'après-midi. L'émir a tellement confiance dans l'équipe qui a sauvé sa fille qu'il veut que nous, toi et moi, accompagnions la princesse la semaine prochaine quand elle rentrera dans son pays.

Elle le regardait, stupéfaite.

— Il veut que nous allions là-bas ?

— Oui ! Evidemment, il avait d'abord demandé simplement qu'une infirmière reste auprès d'elle parce qu'il se rend compte qu'elle pourrait avoir besoin de soins pendant le voyage. Mais Yasmine — je veux dire la princesse — a dû faire un rapport sur nous à l'ambassadeur, rapport qui a été transmis à son père, avec de tels éloges que l'émir en est arrivé à la conclusion que nous étions indispensables, toi et moi. Alors nous partons dans le même avion qu'elle...

— Et nous y resterons combien de temps ?

— A al-Madaniya ? Oh ! pas longtemps ! Probablement jusqu'à ce que la princesse soit complètement rétablie.

Avec un serrement de cœur, Madge se raccrocha à l'ultime argument pouvant faire obstacle à ce projet :

— Mais, je ne dépends pas de l'administration de l'hôpital, moi. Je ne sais pas si on me laisserait partir si facilement...

— Tout est arrangé. Rien ni personne ne peut se mettre en travers.

— Alors, pour le moment nous abandonnons nos projets en ce qui concerne notre installation ?

Nick enlaça Madge.

— Ça peut attendre... Dès que nous serons revenus nous fixerons la date de notre mariage.

Madge ne fit aucun commentaire. Elle se demandait s'il croyait à ce qu'il disait...

CHAPITRE VII

Madge regardait pas le hublot. Aussi loin qu'on pouvait voir ce n'était que le désert. De temps à autre une oasis, un campement, en rompaient la monotonie.

L'appareil dans lequel ils étaient maintenant avait été aménagé en hôpital miniature. Ils avaient appris par le prince Hamid que son oncle l'émir avait consacré une somme qui leur avait paru énorme à l'achat de cet engin luxueux.

Quand ils avaient quitté Heathrow, Nick avait dit à Madge, sur un ton de confidence : « L'émir a une fortune colossale ! » Mais, cela paraissait évident à l'infirmière.

La première partie du voyage, de Londres au Caire, avait été très bien supportée par Yasmine. Dans la capitale égyptienne, ils avaient été logés à l'ambassade d'al-Madaniya.

A l'issue de ce premier jour, Nick, après

avoir examiné la princesse, avait déclaré, content : « Une bonne nuit de sommeil, et vous serez en pleine forme demain matin... »

Maintenant, on arrivait au terme du voyage.

Madge alla jusqu'au lit de Yasmine. Celle-ci l'accueillit avec une esquisse de sourire. Depuis qu'ils avaient quitté le Caire elle avait somnolé.

— On approche ? demanda-t-elle.

— Plus qu'une demi-heure environ.

Yasmine prit la main de Madge.

— Je suis heureuse que vous ayez pu venir avec moi. Je veux que vous connaissiez mon père et qu'il vous remercie lui-même d'avoir été si bonne, si patiente...

— Il ne me doit aucun remerciement : je n'ai fait que mon devoir.

— C'est possible, mais je n'oublierai jamais la gentillesse que vous m'avez témoignée durant ces dernières semaines.

Hamid et Nick, qui étaient dans le cockpit, auprès du pilote, rejoignirent ensemble les deux femmes. Hamid rayonnait.

— J'ai eu l'autorisation de piloter pendant un petit bout de temps. J'ai dit au pilote que j'espérais bien avoir bientôt un appareil à moi et il m'a affirmé que je n'aurais aucune difficulté, car je suis déjà un bon aviateur.

Yasmine lui tapota la main.

— Ne t'excite pas, Hamid ! Nous allons

bientôt atterrir... Je me demande si père sera là pour m'accueillir.

— C'est peu probable, dit Nick. J'ai dit aux gens de votre ambassade d'avertir votre père que vous étiez encore faible et qu'il ne convenait pas de vous fatiguer avec des cérémonies. Si l'on a bien voulu suivre mes instructions, vous serez conduite directement au palais.

Yasmine poussa un soupir de soulagement.

Nick regarda par le hublot.

— Ah ! j'aperçois al-Madaniya !

Madge regarda à son tour. Dans le lointain on apercevait les tours et les minarets de la capitale de l'émirat, flous, sans doute à cause de la chaleur.

Le regard de Nick brillait d'excitation.

« Comme il est heureux de revenir ! pensa-t-elle. C'est là qu'il veut être. Il s'est épris de ce pays dès qu'il y est arrivé, il y a un an. Je me demande s'il se résignera à le quitter définitivement ! »

On amorça la descente et elle chassa de son esprit ses soucis.

Une ambulance vint jusqu'au pied de l'avion.

Yasmine, le visage caché à présent, y fut transportée.

Tandis que Hamid montait dans sa propre voiture pour regagner sa demeure, Nick et Madge prirent place au côté de la princesse.

L'aéroport n'était pas très loin d'al-Madaniya.

Madge eut le temps d'apercevoir de pauvres cabanes auprès desquelles se tenaient des femmes voilées et des enfants à demi nus, qui regardaient passer l'ambulance et son escorte ennuagées de poussière.

Mais, dès que le petit cortège eut pénétré dans la ville par une haute et large porte percée dans d'anciens remparts, il longea des rangées de buildings blancs, des blocs d'immeubles modernes et de beaux magasins, tandis que la route se transformait en un boulevard à trois voies. Ces signes de civilisation avancée formaient un étonnant contraste avec les dromadaires, les petites charrettes tirées par un cheval efflanqué que l'on apercevait çà et là.

De temps à autre on croisait une somptueuse limousine, mais plus d'une fois Madge aperçut un car déglingué et cahotant dans lequel s'entassaient des hommes en long vêtement blanc.

La voiture de police qui précédait l'ambulance faisait le vide devant elle à coups de sirène.

Quelques minutes plus tard, la voiture de police et l'ambulance ralentirent pour passer un portail flanqué de deux guérites blanches.

Des gardes en uniforme rouge saluèrent au passage.

De sa couchette, Yasmine demanda :

— Apercevez-vous un perroquet ?

Madge regarda avec plus d'attention.

Des jets d'eau s'abattaient sur le gazon vert.

Mais de perroquet, point !

Madge secoua la tête et Yasmine sourit.

— Cela porte malheur d'être accueilli par un perroquet. Mon père a dû veiller à ce qu'on les enferme dans leur volière en attendant que je sois dans la maison.

L'ambulance ayant franchi une longue voûte pénétrait dans la cour intérieure. Un jet d'eau chantait. Des oiseaux blancs entraient et sortaient d'un colombier. Les murs, qui fermaient complètement la vaste cour, étaient blancs aussi et couverts de plantes grimpantes offrant de grandes fleurs écarlates. Le centre de l'espace ainsi limité était occupé par un immense parterre de fleurs bleues.

Lorsqu'on ouvrit les portes de l'ambulance, une petite femme brune en robe blanche vint regarder à l'intérieur.

— Fatima ! s'écria la princesse.

Puis, s'adressant à Madge, elle indiqua :

— C'est ma nourrice. Elle a pris soin de moi depuis ma toute petite enfance.

Deux autres femmes accompagnaient Fatima, portant une civière.

On installa la princesse dessus et l'on se dirigea vers l'entrée du palais, Fatima marchant à côté de sa maîtresse, Nick et Madge derrière.

Ils traversèrent un nombre impressionnant de salles très hautes avant d'accéder à un vaste salon. Au-delà de ce salon il y avait une immense chambre où Yasmine fut bientôt confortablement installée, sur un lit à colonnes à demi drapé de tentures de soie et parmi un amoncellement de coussins.

— Il faut essayer de dormir, maintenant, princesse ! lui dit Nick. Vous avez eu un voyage fatigant, et il vous faut du repos.

— Mais, mon père ?...

— Votre père devra attendre. Mademoiselle Harman restera auprès de vous. Moi, je vais faire un compte rendu à l'émir qui, j'en suis persuadé, est trop soucieux de votre santé pour ajouter à votre fatigue...

Yasmine fit la moue.

— Mais, moi, je voulais voir l'émir ! Je crois qu'il sera malheureux si vous remettez sa visite à demain !

Nick soupira.

— Bon. Mais, je ne lui accorderai que quelques minutes !

Quand Nick fut sorti, Yasmine hocha la tête.

— Il ne connaît pas mon père comme je le connais ! Patienter jusqu'à demain ? Cela ne lui ressemblerait guère.

Elle ne se trompait pas !

Nick attendit un quart d'heure avant d'être introduit auprès de l'émir.

Celui-ci était assis derrière un grand bureau d'acajou. Il était vêtu à l'occidentale mais avait la tête couverte de la traditionnelle *keffia*.

L'émir se leva et alla à la rencontre du médecin.

— Docteur Spender, je suis heureux de savoir que ma fille me revient en bonne santé. Comment s'est passé le voyage ?

— Tout bien considéré, remarquablement, Altesse ! Mais il faut à la princesse un repos total. Jusqu'à demain...

Les yeux gris de l'émir s'amincirent, sa bouche se crispa...

— Vous voulez dire que vous préféreriez que je renonce à la voir, n'est-ce pas ?

— Je crois que cela vaudrait mieux, Altesse, murmura Nick.

— Retournez donc auprès de la princesse, docteur, et avisez-la que je la verrai dans... une demi-heure.

— Mais, Altesse...

L'autre fut très sec :

— L'audience est terminée, docteur !

Il alla se rasseoir à son bureau.

Nick soupira et quitta la pièce. Le père de Yasmine n'était pas homme à supporter que l'on contestât ses décisions. Ni même qu'on les discutât.

Nick retourna donc dire à Yasmine qu'elle devait se préparer à recevoir la visite de son père.

Elle se mit à rire...

— Pauvre docteur ! Il faut que vous compreniez bien que si en Angleterre un médecin fait la loi dans son domaine, ici l'émir la fait dans tous les domaines.

— Je reste ici pour être sûr qu'il ne vous fatiguera pas.

Yasmine secoua la tête.

— Je crois qu'il serait plus sage que vous vous retiriez. Il s'attend à ne trouver qu'une infirmière auprès de moi. Donc Madge, elle, peut rester.

Nick fronça les sourcils, poussa un soupir de forge et quitta la chambre.

Yasmine rit en regardant Madge.

— Pauvre Nick ! Il a encore beaucoup à apprendre ! Maintenant, Maggy, préparez-moi pour cette visite. Mon père n'admet pas qu'on le fasse attendre...

Yasmine, parée, venait juste de prendre place dans l'un des fauteuils qui meublaient la chambre lorsque l'émir arriva, suivi de son chambellan, un vilain petit bonhomme qui était visiblement terrorisé par son maître.

Les deux battants de la grande porte furent ouverts devant lui et la princesse Yasmine inclina la tête, restant ainsi, humblement, tandis que son père venait jusqu'à elle.

— *Marhaben bikoum, ia benti !*

Il n'était pas difficile de comprendre que l'émir souhaitait la bienvenue à sa fille...

Il avait baisé l'extrémité de ses propres doigts et les posait sur les cheveux de Yasmine, les y laissant quelques secondes.

— J'ai cru comprendre que vous n'aviez pas été trop éprouvée par ce voyage ?

Sans lever son regard sur son père, Yasmine répondit :

— Non, père. Le chirurgien anglais qui m'a opérée est un véritable savant et j'ai bénéficié de sa science. Je serai vite complètement rétablie.

— C'est parfait. Et qui est cette personne ?

Yasmine releva la tête. Il désignait Madge.

— C'est mademoiselle Harman, l'infirmière qui a pris soin de moi depuis l'intervention, père. C'est beaucoup grâce à elle que je me sens en bonne forme aujourd'hui.

L'émir tendait la main vers Madge qui se demanda avec angoisse si elle devait la baiser ou la serrer. Il la tira lui-même d'embarras en se saisissant de sa main et en la serrant.

— Je vous suis vraiment très reconnaissant, mademoiselle, dit-il. J'étais tourmenté par la crainte quand ma fille a dû partir pour l'Angleterre. Maintenant qu'elle m'est revenue, en voie de guérison, je ne peux qu'appeler les bénédictions de Dieu sur ceux dont c'est l'œuvre.

Madge se sentait gênée. Elle n'avait rien fait de plus que ce qu'une autre aurait fait.

Ne sachant que répondre elle se tut.

Elle se tint un peu à l'écart tandis que l'émir s'entretenait avec sa fille.

Politesse envers elle ? Yasmine et son père ne parlèrent pas en arabe...

— Maintenant, il faut que tu te reposes, mon enfant. Le docteur Spender a tenté de m'empêcher de venir te voir dès cet après-midi. Mais, je ne pouvais laisser encore une fois la lune se coucher sans être venu constater par moi-même comment tu allais.

Il posa la main doucement sur la joue de la princesse, l'y laissa un instant, puis il fit demi-tour. Le chambellan resté à la porte plongea en un grand salut quand son maître passa devant lui, puis, après un second salut, un peu moins plongeant, en direction de la princesse, il le suivit.

Derrière eux les portes se refermèrent.

— Maintenant que vous avez vu mon père, Maggy, qu'en pensez-vous ?

— Il paraît prévenant, fut tout ce que Madge trouva.

Yasmine se mit à rire gaiement...

— C'est un volontaire entêté, comme a dû s'en rendre compte ce pauvre docteur Spender...

Madge aidait la princesse à se recoucher. Elle fit remarquer :

— L'émir parle une langue châtiée...

— Quand on sait qu'il a fait ses études à Eton et Oxford... Il tient d'ailleurs à ce que tous les gens de la Cour parlent l'anglais. Pour quelques-uns ce n'est pas facile. Jamal, le vieux chambellan que vous avez vu, est dans de continuelles transes à ce sujet.

Nick entra à cet instant.

— La visite de votre père vous a-t-elle fait plaisir, princesse ?

Yasmine tourna vers lui un regard brillant.

— Un plaisir immense, docteur ! Comment avez-vous osé tenter de l'en empêcher ? Il y en a qui ont été châtiés pour moins que ça !

Nick cligna de l'œil vers Madge.

— Je risquerais n'importe quel châtiment chaque jour pour vous, princesse ! Mais, pour l'instant, fermez les yeux et dormez. C'est un ordre ! Mademoiselle Harman, faites en sorte qu'elle obéisse !

Puis, Nick tourna les talons de façon très militaire, et il sortit.

CHAPITRE VIII

Madge se mit à la fenêtre de sa chambre. Juste au-dessous il y avait une petite cour avec le jet d'eau et la corbeille de fleurs habituels. A gauche et à droite de cette cour il y avait une voûte. Toutes deux donnaient sans doute sur une autre cour.

Celui qui avait bâti ce palais avait été obsédé par les cours intérieures, apparemment.

Madge songeait à cela. Il lui semblait qu'elle vivait depuis quelque temps dans un labyrinthe. Chaque cour menait à une autre cour. On devait pouvoir aller dans les dépendances de ce palais sans jamais se trouver face à un bon mur qui indiquerait qu'il n'y avait enfin plus de cour derrière.

Elle était à al-Madaniya depuis quinze jours. Et elle n'avait aucune idée du temps qu'elle devrait y séjourner.

La princesse Yasmine était pratiquement

remise. Bientôt elle n'aurait plus besoin de la moindre surveillance et encore moins d'une infirmière qualifiée comme elle.

« Dans deux ou trois jours Nick et moi pourrons peut-être repartir », se dit-elle. Mais, avec un serrement de cœur, elle pensa qu'elle ne l'avait vu que très peu depuis qu'ils étaient au palais, cet homme dont logiquement elle aurait dû être l'épouse.

Chaque jour il faisait une visite de routine à la princesse. Il passait le plus clair de son temps à l'hôpital d'al-Madaniya.

L'équipe qui se trouvait dans cet établissement officiel avait une excellente réputation et ses spécialistes étaient souvent consultés par les autres médecins de la région.

Deux ou trois fois, quand elle n'était pas de service auprès de Yasmine, Nick l'avait invitée. Ils avaient dîné dans un restaurant de la ville.

Un soir, avec une des autos du palais, ils étaient allés jusqu'à un établissement situé aux confins du désert. De la salle à manger on avait vue sur l'étendue des sables. La pleine lune éclairait les palmiers. Pour Madge c'était un décor très romanesque. Mais ce soir-là Nick semblait préoccupé. Elle lui avait demandé la raison de sa morosité et il lui avait parlé d'un malade qu'on avait amené dans la journée à l'hôpital. Cet homme était très mal en point et Nick avait été incapable de formuler un diagnostic. « Je suis furieux parce que je ne sais pas ce qu'il a ! Il a les symptômes d'une demi-douzaine de maladies mais tout cela n'en fait pas une... » Elle s'était dit qu'elle devrait l'estimer d'être soucieux à cause d'un malade, mais elle n'avait pu s'empêcher de lui en vouloir de gâcher leur soirée avec ses problèmes professionnels. Ils n'étaient pas si souvent ensemble !

Ce jour-là, elle attendait le moment de le rejoindre. Elle n'avait pas encore visité cet hôpital dont il parlait avec tant d'enthousiasme ! Le matin même il l'avait invitée à venir voir, pendant son temps de repos, cette merveille de technique qu'avait fait édifier l'émir pour le bien-être de ses sujets.

Madge consulta sa montre. Ils avaient rendez-vous à 15 heures devant l'entrée principale du palais. Il était temps qu'elle s'en allât...

A présent, Madge arrivait sans trop de peine à se diriger à l'intérieur du palais. Mais, il lui arrivait encore de s'égarer. Elle souhaitait que ce ne fût pas le cas cette fois.

Elle longea des couloirs, passa des salles, des cours.

A l'entrée de chaque galerie se tenaient deux soldats en uniforme, qui la regardaient aller sans sourciller.

Nick l'attendait, assis sur le siège arrière de la grande limousine. Un homme enturbanné était debout à la portière. Dès qu'il eut aperçu la jeune infirmière, il l'ouvrit. Quand elle fut installée, il se mit au volant.

Alors que la voiture roulait le long du grand boulevard, Nick prit dans les siennes la main de Madge.

— Comment va la princesse aujourd'hui ? Je n'ai pas eu le temps de venir la voir ce matin. Il faudra que je trouve quelques minutes dans la soirée.

— Elle va bien...

Madge se dit que le moment en valait un autre pour parler de ce qui lui tenait à cœur...

— Je pense que nous pourrons bientôt rentrer en Angleterre.

Nick fit la grimace.

— Hum !... Elle n'est pas encore tout à fait sortie d'affaire. S'il y avait rechute...

— Mais enfin, il y a d'autres médecins compétents à al-Madaniya ! S'il lui faut un traitement pour la maintenir en bonne condition, un de tes confrères peut s'en charger, Nick !

— Ce ne serait pas pareil, Madge ! Moi, je l'ai suivie depuis le début, tu le sais. Je ne peux pas la confier à quelqu'un qui ne la connaît pas ! Je pense qu'il faut que je reste encore quelques semaines. Je veux être absolument certain qu'elle est complètement hors de danger avant de la laisser...

Madge se rendit compte qu'il était inutile

de discuter. Ou bien il était réellement persuadé que la princesse pouvait avoir besoin de lui, ou bien c'était lui qui ne se résignait pas à quitter la princesse parce qu'il avait besoin d'elle... Ou bien encore, plus simplement, il se plaisait à al-Madaniya et n'était pas du tout pressé de retrouver les brumes de Londres...

Les cinq minutes qui suivirent ils restèrent silencieux. Enfin l'auto franchit un grand portail et prit l'allée menant à l'entrée de l'hôpital qui se dressait au faîte d'une petite colline, éclatant de blancheur dans le soleil déclinant.

— Nous y voilà ! s'écria Nick d'une voix forte, visiblement soulagé que l'incident fût clos.

Quand ils eurent pénétré dans le hall de réception, Madge fut impressionnée par les marques de respect des membres du personnel qui s'y trouvaient. Les médecins qu'ils croisèrent parurent eux-mêmes déférents. Il était évident que Nick était la figure la plus éminente de l'hôpital.

Il la conduisit dans tous les services, lui présenta les uns et les autres et même quelques malades qui le regardaient comme ils auraient regardé un messie.

Elle visita la salle d'opération, la salle de radio, les laboratoires.

— Et maintenant, tu vas rencontrer monsieur Mohammed ben Soussan, le *superintendent,* dit Nick en frappant à une porte.

On cria d'entrer. L'homme qui se trouvait derrière un bureau recouvert de papiers se leva. Il était petit et presque noir de peau, avait les cheveux gris et une barbe en collier. Mais son regard cordial et, quand il souriait, sa denture éclatante et parfaite semblaient éclairer son visage.

— Ah ! docteur Spender ! Entrez ! Entrez donc !

— Je vous présente mademoiselle Harman qui est venue avec moi d'Angleterre pour veiller sur la princesse Yasmine.

La main de Madge fut happée par une poigne solide et les yeux qui la regardaient se plantèrent dans les siens avec franchise et sympathie.

— Je suis ravi de vous connaître, mademoiselle... Le docteur Spender m'a souvent parlé de vous.

— Votre hôpital est merveilleux, monsieur ! Le docteur Spender m'en a fait faire le tour.

— Oui, nous avons beaucoup de chance. Les citoyens d'al-Madaniya doivent une grande reconnaissance à leur émir pour cela.

Il leur offrit le thé, mais Nick refusa :

— Mademoiselle Harman doit rentrer au palais. Elle reprend son service en fin d'après-midi.

Ils bavardèrent quelques minutes, puis Nick se dirigea vers la porte. Mais, avant qu'il l'eût atteinte, le Dr Ibn Soussan dit à Madge :

— J'essaie de le persuader de rester à al-Madaniya... Il ne m'a pas encore donné sa réponse. Si vous en parliez avec lui, mademoiselle, peut-être arriveriez-vous à le décider ? Je dois dire que nous aurions aussi besoin d'une bonne infirmière pour l'assister. Une infirmière ayant votre expérience...

Madge répondit quelque chose — n'importe quoi, pour dire quelque chose — et elle et Nick se retrouvèrent dans le couloir...

Alors qu'ils traversaient la salle de réception, une infirmière, longue et mince dans sa blouse blanche, sortit d'une pièce. A la différence des autres elle était blonde et avait le teint très clair. Elle était aussi très jolie.

Son visage s'illumina.

— Bonjour, vous ! lança-t-elle.

Puis, elle regarda Madge avec curiosité.

Nick lui sourit largement.

— Bonjour mademoiselle Bailey !... Je vous présente mademoiselle Harman, ma fiancée. Mademoiselle Bailey a la charge du service de chirurgie, Madge.

Les deux jeunes femmes se serrèrent la main.

— Le docteur Spender m'a beaucoup parlé de vous, mademoiselle Harman.

— Vous êtes depuis longtemps à al-Madaniya, mademoiselle Bailey ?

— Ça fait près de deux ans... Votre fiancé nous a bien manqué quand il est retourné en Angleterre ! Nous avons été contents de le voir revenir, quoique cela semble indiquer qu'on n'est pas encore très rassuré sur la santé de la princesse Yasmine.

— Il faut partir ! lança Nick, comme soucieux d'échapper à cette conversation.

— Je ne voudrais pas vous mettre en retard..., dit Joan Bailey en souriant.

Il prit Madge par le bras et l'entraîna.

Joan Bailey les suivit du regard, soupira, et retourna à ses occupations.

L'auto roulait vers le palais et Nick se tenait dans son coin, silencieux.

Madge lui lança un regard.

— Elle est très séduisante...

— Qui est séduisante ? grogna Nick, sourcils levés.

Elle se mit à rire.

— Oh ! Nick, je t'en prie ! Tu sais très bien de qui je parle. De mademoiselle Bailey, naturellement.

— Je suppose qu'elle l'est, oui... Et alors ?

— Alors rien. Tu ne m'as pas dit qu'on t'avait offert de rester à al-Madaniya...

— Il ne faut pas attacher d'importance à ce que dit Ibn Soussan, Madge !

— Mais, il prétend que tu n'as pas refusé,

que tu envisages même d'accepter... Comment peux-tu lui laisser croire cela, alors que d'un moment à l'autre tu dois rentrer en Angleterre ?

— Non ! Je t'ai dit tout à l'heure, en venant, qu'il n'était pas possible que nous repartions prochainement. A cette seule pensée l'émir aurait une attaque.

De l'index Madge obligea Nick à tourner la tête et à la regarder.

— Tu n'as pas du tout envie de rentrer en Angleterre, n'est-ce pas, Nick ?

Il se secoua.

— Mais si ! Seulement..., pas tout de suite.

— Bon. Dans ce cas, tu ne devrais pas laisser ce pauvre *superintendent* nourrir des illusions. Tu devrais même lui dire qu'il n'est pas dans tes intentions de t'installer à al-Madaniya, ni maintenant ni plus tard.

Il ne répondit pas, se détourna pour regarder par la vitre. Ils atteignaient le portique marquant l'entrée du palais.

— Puisque je suis là, autant que j'aille voir la princesse immédiatement, dit-il quand ils eurent mis pied à terre.

Il se dirigea aussitôt vers les appartements privés, laissant Madge le suivre avec difficulté tant son pas était rapide.

Elle le suivait sans chercher à le rejoindre, et elle se sentait misérable. Il n'était pas dans les habitudes de Nick d'agir ainsi. S'il avait envie de rester à al-Madaniya, pourquoi ne le disait-il pas ? Et pourquoi ne lui suggérait-il pas de rester, d'accepter l'offre du *superintendent ?* Ils pourraient vivre ensemble à al-Madaniya plus confortablement qu'à Londres !

Elle ne savait pas elle-même comment elle réagirait à une telle proposition, mais au moins cela prouverait que Nick tenait à elle...

Comme ils approchaient des appartements de la princesse, ils entendirent un bruit de voix excitées, puis des pas précipités. Et soudain Adie, la servante de Yasmine, apparut, débouchant d'une voûte. Son visage était baigné de larmes, mais il s'éclaira quand elle les vit. Elle débita une phrase rapide en arabe tout en saisissant fébrilement la main de Nick.

— Que se passe-t-il, Adie ? demandait Nick qui n'entendait rien de ce qu'elle racontait.

La jeune fille parvint à se contrôler, et à faire comprendre que sa maîtresse allait mal.

Nick regarda Madge.

— Il a dû arriver quelque chose ! s'écria-t-il. Ne perdons pas une minute !

Il poussa Adie devant lui...

Ils trouvèrent Hamid qui arpentait anxieusement l'antichambre précédant le salon de la princesse. Son visage s'éclaira quand il aperçut Nick.

— Grâce à Dieu, vous êtes là ! La princesse a eu un malaise. Fatima est auprès d'elle.

Nick ouvrit la porte et Madge le suivit jusqu'à la chambre de Yasmine. Celle-ci était étendue sur son grand lit, haletante. Elle avait le regard hagard.

Fatima leva sur Nick des yeux remplis de larmes.

— Le prince Hamid était là, et j'étais en train de coudre dans mon coin, dit-elle. Adie était dans l'autre pièce. Et d'un coup elle s'est renversée en arrière ! Le prince m'a appelée pour que je l'aide à l'étendre sur son lit.

— Il y a combien de temps que c'est arrivé ? demanda Nick qui avait saisi le poignet de Yasmine et comptait les pulsations.

— Quelques minutes... Je ne peux pas dire au juste.

Nick leva les yeux et rencontra ceux de Madge penchée de l'autre côté du lit.

— Je craignais que quelque chose de ce genre ne se produise, dit-il à voix basse. Tom m'avait bien recommandé de faire très attention...

Madge conduisit Fatima jusqu'à la porte. La vieille femme était réticente, mais l'infirmière lui dit que le médecin voulait examiner la princesse et qu'il était préférable qu'elle allât attendre dans le salon.

Tandis que Nick l'examinait, Yasmine le fixa et en le reconnaissant eut l'air étonnée.

— Qu'est-ce qu'il y a ? dit-elle péniblement. Je... je respire mal... J'étouffe, je...

Sa voix était rauque.

Nick lui sourit.

— Ne vous affolez pas. Je suis en train de vous examiner et nous saurons bientôt ce qu'il y a.

Cependant Madge préparait le produit qu'il lui avait brièvement ordonné d'injecter.

Il se redressa.

— Ce n'est pas grave. Vous allez dormir un peu, grâce à cette piqûre que mademoiselle Harman va vous faire, et quand vous vous réveillerez vous vous sentirez mieux.

Souriant avec une apparente confiance, ils restèrent auprès d'elle jusqu'à ce que ses paupières se furent baissées.

Puis Nick, pensif, alla jusqu'à la fenêtre.

Madge le rejoignit.

— C'est grave ?

— Assez, oui. Il n'y a que Tom qui pourrait faire quelque chose. C'est de sa compétence, non de la mienne. Il faudrait une nouvelle intervention.

— Il n'est pas possible de la transporter de nouveau en Angleterre !

— Non. Même si elle le supportait, elle serait épuisée en arrivant là-bas... Il faut faire très vite et tout de suite. Je vais téléphoner. J'espère qu'il pourra être ici dès demain matin...

CHAPITRE IX

Tom Spender fut réveillé en sursaut par la sonnerie du téléphone. Il alluma sa lampe de chevet et, tout en prenant le combiné, consulta sa montre. Il était 3 heures !

« — J'écoute ! » dit-il, avec un peu d'humeur, s'attendant à l'appel d'un collègue le réclamant pour une intervention urgente.

Mais une voix féminine lui demanda de ne pas quitter : on l'appelait d'al-Madaniya.

Il tressaillit. Al-Madaniya ! Quelle heure était-il là-bas ? Ce devait être son frère. Qui d'autre aurait pu l'appeler de si loin ?

Après une série de sonneries et de déclics, il entendit la voix de Nick :

« — C'est toi, Tom ? »

« — Oui. Pourquoi m'appelles-tu au milieu de la nuit ? »

« — J'ai essayé de te joindre plusieurs fois... Tu devais être absent... »

« — Oui, j'ai dîné en ville, et la soirée

s'est prolongée jusqu'à plus de minuit. Je dormais comme un bienheureux... »

« — J'ai attendu qu'il soit 6 heures pour t'appeler. C'est raisonnable, quoi ! »

« — Il est 6 heures à ta montre ! A la mienne il est 3 heures ! »

« — Ah ! je n'ai pas pensé au décalage horaire ! Dans mon affolement... »

« — Ton affolement ? Que se passe-t-il ? »

« — C'est la princesse... Elle a perdu connaissance dans l'après-midi. Nous avons besoin de toi. Prends le premier avion ! »

Tom plissa le front. Il était navré, mais son frère lui demandait quelque chose d'impossible. Il ne pouvait sortir du lit et se précipiter à l'aérodrome pour sauter dans un avion aussi facilement qu'il appellerait un taxi pour aller à la gare !

« — Tu te rends compte qu'aucun avion ne décolle à une heure pareille ? Et je ne sais même pas s'il y a un vol pour là-bas aujourd'hui ! »

« — Il n'y a pas de temps à perdre, Tom ! L'émir exige que tu quittes Londres aussitôt que je t'aurai avisé de ce qui se passe. Il paraît qu'il y a un vol à destination du Moyen-Orient ce matin même. Il se pose à al-Mouharrak (*). L'émir enverra un de ses avions te prendre là-bas... »

(*) Ile où se trouve l'aérodrome de la principauté de Bahreïn.

« — Mais, j'ai des malades ici, qui ont besoin de moi ! Il faut que vous le compreniez ! »

« — Tu peux sûrement faire appel à un confrère pour te remplacer pendant deux ou trois jours, Tom. C'est un cas prioritaire ! L'émir est littéralement fou d'inquiétude... »

« — Mais, que s'est-il passé, au juste ? Quelles constatations as-tu faites ? »

Après avoir écouté le rapport de son frère, le chirurgien admit que l'état de la princesse était sérieux.

« — Bon, d'accord, je vais venir ! Si ton renseignement s'avère exact et qu'il y ait bien un vol ce matin pour Bahreïn, je vais essayer de le prendre. »

« — Ah ! merci, Tom ! »

Nick raccrocha sur ces mots et Tom en fit autant.

Tandis qu'il appelait l'aéroport de Heathrow pour avoir confirmation de ce que lui avait dit son frère, une pensée dominait les autres : quelques heures plus tard il serait auprès de Madge. Il vécut les minutes qui suivirent dans une activité fiévreuse.

Après avoir pris contact avec un autre chirurgien et obtenu de lui qu'il se chargerait des interventions urgentes, il alla faire un tour dans son service, puis, ayant réuni dans un sac de voyage quelques objets de première nécessité, il se rendit à Heathrow.

Le grand oiseau attendait, brillant sous le soleil matinal.

Tom et les autres passagers furent transportés au pied de l'escalier et l'un après l'autre ils pénétrèrent dans l'appareil.

Si les choses avaient été réglées si rapidement pour Tom, c'est que l'ambassade d'al-Madaniya était intervenue auprès des services britanniques compétents...

Très vite ils prirent l'air et montèrent, montèrent...

Tom se cala dans son fauteuil et s'offrit un supplément de sommeil...

L'hôtesse le réveilla en lui apportant son déjeuner.

— Nous nous posons dans combien de temps ? demanda-t-il.

— Dans une heure, monsieur. On n'a pas le temps de languir, n'est-ce pas ?

— Oh non ! C'est plus court que d'aller de Londres à Folkestone (*) !

Le café sentait bon, la marmelade était appétissante, il fit honneur à ce repas léger mais copieux.

Le jet personnel de l'émir l'attendait sur l'aérodrome d'al-Mouharrak quand l'avion venu de Londres se posa.

Ayant droit à des égards particuliers, Tom fut accueilli par un officier qui le conduisit

---

(*) Ville d'Angleterre située sur la Manche.

à l'avion de l'émir. Celui-ci s'envola sans qu'un instant n'eût été perdu.

Moins d'une heure plus tard, il atterrissait à al-Madaniya où Nick l'attendait.

— Tom, c'est formidable que tu aies pu venir ! s'écria Nick à l'adresse de son frère. Je te remercie.

Ils s'étreignirent.

— La voiture va nous conduire directement à l'hôpital, Tom. La princesse a été transférée là-bas dans la nuit. Si tu décides de l'opérer, cela nous aura fait gagner du temps.

— Tu as bien fait. Comment est-elle, ce matin ?

— Toujours pareil. J'ai dû la mettre sous la tente à oxygène. Le problème est respiratoire.

— J'avais averti l'émir avant l'opération qu'un accident de cette nature était à redouter.

— Il l'a compris. Je lui ai d'ailleurs redit cette nuit que, si tu n'avais pas opéré sa fille, à l'heure qu'il est elle ne serait plus.

Tom ferma à demi les yeux. Il ressentait la fatigue de ce voyage.

Ce ne fut qu'en arrivant à l'hôpital qu'il demanda :

— Et Madge ? Comment va-t-elle ?

— Elle va bien... Elle est au chevet de la princesse.

— Parfait ! Elle est plus au courant de la situation que ne pourrait l'être n'importe quelle autre infirmière.

Ils se rendirent tout droit au bureau du Dr Ibn Soussan.

Le *superintendent* accueillit Tom avec chaleur :

— C'est généreux à vous d'être venu, docteur Spender ! Nous sommes tous réconfortés de savoir que notre chère princesse sera entre vos mains. Je ne veux pas dire que votre frère...

Il bafouillait un peu, confus, se disant qu'il avait peut-être blessé Nick.

— J'aimerais la voir tout de suite ! lança Tom.

— Je vais te conduire, dit Nick.

Yasmine reposait sous une tente à oxygène, dans une chambre isolée, à l'extrémité du bâtiment. Les stores avaient été baissés et l'on entendait le doux ronflement de l'appareil de climatisation.

Madge était assise à côté du lit.

Elle se dressa à l'entrée de Tom et de Nick.

Tom lui sourit.

— Madge ! C'est une joie que de vous revoir !

— C'est merveilleux que vous ayez pu

venir aussi vite, murmura-t-elle, prenant conscience du plaisir qu'elle éprouvait, elle aussi.

Elle réalisa que ce n'était pas seulement parce qu'il allait essayer de sauver Yasmine... Elle s'étonna de cela. Après tout, Tom n'était rien pour elle. Rien de plus, en tout cas, que le frère de l'homme qui était son fiancé.

On avait administré à Yasmine des remèdes pour calmer son angoisse de ne plus pouvoir respirer qu'à grand-peine.

Tandis que Tom s'approchait, elle l'implora du regard.

— Docteur Spender..., souffla-t-elle.

Il lui sourit gentiment.

— Mes respects, princesse. Je suis désolé que vous ne vous sentiez pas bien, mais...

— Je me sens mieux rien qu'en vous voyant, murmura-t-elle.

Il l'examina, eut vers Nick un regard entendu.

Puis il sortit et son frère le suivit.

Dans le couloir il déclara :

— Il n'y a pas une minute à perdre. Son cœur ne supportera pas longtemps un tel rythme. Il faut absolument que j'opère aujourd'hui même. (Il regarda sa montre.) Dans deux heures, peut-elle être prête ?

— Je crois qu'il faudrait que tu ailles présenter tes respects à l'émir, Tom. Je lui ai dit que je t'emmènerais au palais dès que tu aurais vu la princesse.

Tom eut un soupir d'exaspération.

— Très bien, allons-y !... Mais tout de suite après je veux voir la salle d'opération, et qu'on me présente l'équipe.

— Tu passeras ta revue dès que nous serons de retour. Une voiture nous attend à l'entrée. Il faut aller au palais avant tout.

Un quart d'heure plus tard ils comparaissaient devant l'émir qui posa sur Tom un regard de reproche.

— Ce n'est pas pour un tel résultat que ma fille avait fait le voyage de Londres, dit-il. Je pensais que vous étiez capable de lui rendre la santé. Or, il semble qu'elle soit de nouveau en danger...

— J'ai tenté cette opération en sachant très bien que c'était la seule chance de la voir se rétablir, Altesse. Et j'ai fait de mon mieux. Je ne pouvais faire davantage.

— Et maintenant ? Ma fille survivra-t-elle à une nouvelle intervention ?

Dans le ton de l'émir perçait le sarcasme. Tom se mordit la lèvre. Faire ce voyage avait présenté pour lui de graves et multiples inconvénients. Il ne s'était pas attendu à des paroles blessantes. Mais, il ne répliqua pas avec aigreur ; il ravala son amertume, et dit posément :

— Altesse, je suis ici pour *tenter* de sauver votre fille. Et il est urgent d'agir. J'ai dit à mon frère que j'entendais pratiquer l'intervention dans deux heures, et je le ferai même plus tôt si cela est possible.

Avec un regard dont l'expression eût rempli de frayeur ceux qui le connaissaient bien, l'émir répondit :

— Ce sera possible, n'ayez crainte, si vous l'exigez. Vous avez carte blanche, docteur Spender, mais j'espère que cette fois vous réussirez mieux qu'à Londres...

Tom et Nick saluèrent et sortirent.

— Brrr ! dit Tom. Heureusement que j'étais bien disposé ; sans ça je crois que je me serais laissé aller à lui répondre vertement.

Nick eut un petit rire nerveux.

— Il adore la princesse... J'espère seulement que tu seras arrivé à temps pour éviter le pire.

Tandis qu'ils revenaient à l'hôpital, Tom fit remarquer :

— Je comprends sa réaction, au fond. Je crois que j'aurais la même si j'avais une fille très chérie en danger...

Nick ne répondit pas et Tom le regarda. Il était pâle, crispé, inquiet.

— Courage, Nick ! Rien n'est désespéré. Il y a beaucoup de chances pour que je tire la princesse d'affaire.

Nick ne disait toujours rien, serrant les lèvres, retenant des larmes.

— Tu lui es très attaché, n'est-ce pas ? demanda Tom.

Son frère serra les mâchoires, puis il éclata :

— Naturellement, Tom, que je lui suis attaché ! Qui pourrait ne pas l'être envers une fille si adorable ? Mais, ça sert à quoi, tout ça ? Elle n'est pas pour moi ! Je le savais bien dès le départ.

— Et Madge ? demanda doucement Tom.

Nick haussa les épaules.

— Madge et moi nous marierons, Tom ! Ce que j'éprouve pour la princesse n'a aucun rapport avec le reste. Mais, laissons ce sujet, tu veux ? Nous avons bien d'autres soucis en ce moment que ma vie sentimentale.

L'auto entrait dans la cour de l'hôpital. Les deux hommes en bondirent et se dirigèrent presque en courant vers le bâtiment.

Immédiatement ils s'occupèrent de tout organiser pour que la salle d'opération, l'équipe, l'anesthésiste, fussent prêts aussi tôt que possible.

C'était Joan Bailey qui avait la responsabilité de la salle d'opération.

Nick la présenta à Tom.

— Tout est préparé pour vous dans la salle d'hygiène, docteur, dit-elle. Et ce sera un grand honneur pour moi que de vous assister dans cette intervention.

Tom regarda Nick.

— Espérons que cette fois ce sera un succès total. Maintenant, pourrais-je voir l'anesthésiste ?

— Il doit être dans son bureau, répondit Nick.

Quand ils eurent passé le seuil, il demanda :

— Que penses-tu de Joan Bailey, Tom ?

— Ah ! c'est le nom de cette charmante personne ? dit Tom en souriant. Elle est très agréable à regarder. Depuis combien de temps est-elle ici ?

— Deux ans. Je l'ai beaucoup fréquentée...

Tom rit franchement.

— Tu t'entends toujours très bien avec les jolies femmes, je dois te rendre cette justice. Beaucoup mieux que moi. Je dois avoir l'air d'un ours, comparé à toi...

L'anesthésiste leur indiqua qu'il venait de voir la princesse. Il semblait inquiet.

— Son état vous a paru alarmant ? demanda Tom.

— Elle est très faible. Et le gros problème, c'est son insuffisance respiratoire. Il ne faudra pas que l'opération dure longtemps, docteur Spender.

— Je peux vous promettre que je ferai aussi vite que je le pourrai, sans finesses inutiles. J'aimerais vous voir prêt dans une heure, docteur Alton.

Tom sortit, Nick sur les talons.

— J'espère que le Seigneur voudra bien nous prendre en pitié cette fois-ci, murmura Nick.

Tom ne dit rien, mais sur son visage se lisait une détermination farouche tandis qu'il allait, au côté de son jeune frère, le long des couloirs menant à la chambre de la princesse Yasmine.

CHAPITRE X

Le Dr Alton et Tom échangèrent un regard. Madge comprit ce que cela signifiait. Elle avait vu bien souvent des médecins communiquer ainsi, à l'hôpital Sainte-Anne...

« Vite ! vite !... Si nous voulons qu'elle survive, il faut agir très rapidement ! » Voilà ce qu'ils venaient de se dire.

Joan Bailey épongea avec une compresse le front du chirurgien.

Tom murmura quelque chose et elle lui tendit un instrument.

Madge regarda la pendule. Il y avait presque une heure qu'on avait commencé.

Elle revit Yasmine, juste après qu'elle lui eut fait sa première injection, lui disant, les lèvres tremblantes : « Je me sentirai en sécurité si vous êtes là, Maggy. » Elle lui avait promis qu'elle serait là. Pendant son transport à la salle d'opération, elle lui avait tenu la main. La petite princesse avait tenu le regard fixé sur elle jusqu'à l'instant où elle avait perdu conscience.

Madge observait Nick, qui se tenait derrière son frère. Son regard révélait sa peine.

« Pauvre Nick ! se dit-elle. Comme il doit souffrir ! »

Elle se détourna. Le Dr Alton soufflait quelque chose à l'oreille de Tom.

Tom acquiesça d'un signe, avec impatience.

— C'est bientôt fini ! susurra-t-il.

L'autre retourna à son appareil.

Mais cinq minutes s'écoulèrent encore avant que Tom ne se redressât...

— Ça y est. C'est complètement dégagé. Elle n'aura plus aucun problème !

Il se retourna et, tout en se dirigeant vers la salle d'hygiène, il commença d'enlever son masque.

Nick le rejoignit auprès du lavabo.

— Alors ? fit-il anxieusement.

— On doit attendre... Tout ce que je sais, c'est que j'ai fait le maximum.

— Oui, Dieu seul décide... Alton semblait très inquiet vers la fin.

— Il avait parfaitement raison de l'être, dit Tom tout en prenant une serviette pour s'essuyer.

Madge était auprès de Yasmine, dans la salle de réanimation.

— Pouvons-nous la laisser sous votre

garde, mademoiselle Harman? demanda Joan Bailey.

— Oui, ne vous inquiétez pas. J'ai l'habitude de veiller sur les opérés après l'intervention.

— Oh ! j'en suis sûre !... J'ai l'impression que le docteur Nick Spender était très angoissé...

— Nous l'étions tous.

L'autre sourit.

— Quand il était à l'hôpital, avant son retour à Londres, nous nous amusions à trouver des prétextes pour l'y retenir... A cause de la princesse...

Le cœur de Madge fit un bond, mais ce fut d'une voix calme qu'elle demanda :

— Ah oui ? Pourquoi faisiez-vous cela ?

— Oh ! parce qu'il était à sa dévotion ! Il aurait passé ses jours et ses nuits au palais. Nous avions besoin de lui ici. Naturellement il ne pouvait être question entre eux d'autre chose que d'une solide amitié, mais Nick — je veux dire le docteur Spender — prenait cela trop au sérieux. Et je crois que la princesse l'y encourageait un petit peu. Ce n'était pas charitable de sa part !

En partant Joan Bailey regarda Madge pardessus son épaule et lança :

— Mais, je ne devrais pas potiner ainsi, surtout avec vous ! J'oublie que le docteur Spender est votre fiancé...

La princesse Yasmine gémissait... Madge se pencha sur elle.

Quand elle se redressa, Joan Bailey n'était plus là.

Plus tard, lorsque Yasmine eut été ramenée dans sa chambre, Madge, assise auprès de sa malade endormie, se remémora les paroles de sa collègue.

Ainsi, Nick avait été vraiment amoureux de Yasmine ! Elle se demanda s'il l'aimait encore. Ce serait alors sans espoir pour lui. La fille d'un émir musulman ne pouvait épouser un médecin anglican ! Ne serait-il pas raisonnable de sa part d'oublier la petite princesse ?

Et Joan Bailey ? Quels avaient été ses sentiments pour Nick ? Elle l'appelait par son prénom quand elle ne se surveillait pas, ce qui semblait indiquer qu'il y avait eu entre eux une certaine familiarité... Cela ne signifiait pas forcément qu'ils avaient été particulièrement liés.

— Maggy !

Yasmine la regardait, d'un regard vague.

— Comment vous sentez-vous ?

— Mieux. Je respire sans effort...

— Bien. Vous allez dormir, d'un vrai sommeil, cette fois.

— Quelle heure est-il ?

— La nuit va tomber. Mais, ne parlez plus.

Il faut dormir ! Je resterai auprès de vous jusqu'à votre réveil.

Docilement Yasmine ferma les yeux. Bientôt sa respiration régulière indiqua à Madge qu'elle dormait.

Tom entra, accompagné de Nick, venant aux nouvelles.

— Elle a parlé ?

— Oui. Elle a dit qu'elle se sentait mieux.

— Sa respiration est presque normale, en effet. Je ne veux pas la déranger maintenant. Ce dont elle a le plus besoin, c'est de repos. Je reviendrai plus tard...

— Je vais demander à quelqu'un de te relever, Madge, dit Nick.

Elle secoua la tête.

— Il vaut mieux que je reste. Elle compte me voir là en se réveillant.

Tom sourit.

— C'est gentil, Madge. La princesse a de la chance de vous avoir comme infirmière.

Quand ils eurent quitté la chambre, Tom regarda son frère et dit :

— Je repartirai pour Londres demain, Nick. J'ai deux interventions prévues pour lesquelles personne ne peut me remplacer. Elles ne sont pas aussi graves que l'était celle sur la princesse, mais elles sont urgentes.

Nick parut gêné.

— J'avais espéré que tu resterais jusqu'à ce qu'elle soit définitivement tirée d'affaire.

Tom lui serra le bras en un geste de réconfort.

— Je pense qu'elle se rétablira tout à fait, cette fois.

— Tom, il faudrait que tu ailles faire un rapport à l'émir. Il doit attendre avec anxiété que tu l'informes des résultats. Je suis heureux pour toi que tu n'aies rien à lui dire de fâcheux.

Tom haussa les sourcils.

— L'émir n'est-il pas assez intelligent pour comprendre que des opérations aussi sérieuses sont toujours risquées ? Même si ça avait mal tourné, il aurait pu difficilement m'en blâmer !

— Il est évident que tu ne le connais pas, Tom...

L'émir reçut les deux médecins sans les avoir fait attendre. Il arpentait la pièce, et l'anxiété se lisait sur son visage.

— Alors ? demanda-t-il dès qu'ils furent entrés dans la pièce.

Tom sourit.

— Je suis heureux de pouvoir dire à Votre Altesse que l'opération a complètement réussi.

L'émir sourit. Il serra chaleureusement la main de Tom.

— Je suis soulagé de vous l'entendre dire, docteur Spender. Je compte sur vous pour surveiller sa convalescence, jusqu'à ce qu'elle soit définitivement hors de danger.

— Je dois repartir pour l'Angleterre dès demain, Altesse. Des malades — que j'ai abandonnés pour venir à al-Madaniya — ont besoin de moi...

L'émir se rembrunit.

— Mais, vous ne pouvez laisser la princesse aux soins de quelqu'un d'autre. Vous êtes venu pour la sauver ; vous devez rester jusqu'à ce que votre mission soit réellement accomplie.

— Mon frère est aussi compétent que moi pour veiller sur la princesse, Altesse. Je dois me permettre d'insister : au moins deux malades qui sont dans un état grave m'attendent à Londres...

L'émir prit une sonnette de cuivre et l'agita.

Un domestique en livrée apparut immédiatement.

— Cet homme va vous conduire à vos appartements, docteur Spender. J'espère que vous les trouverez confortables.

Cela dit, l'émir tourna le dos aux deux médecins, leur signifiant ainsi que l'entretien était terminé.

Tom et Nick suivirent le domestique.

— J'ai l'impression que l'émir n'a pas apprécié ton désir de rentrer à Londres, dit Nick.

— Il faudra bien qu'il comprenne !

Après un long chemin, le domestique s'arrêta devant une sorte de renfoncement au fond duquel il y avait une porte.

— Il nous a conduits à l'opposé de l'endroit où nous sommes logés, Madge et moi, dit Nick.

— C'est sans importance, puisque je ne suis là que pour une nuit.

Quand ils pénétrèrent dans la chambre luxueusement tapissée et meublée, ils virent que les bagages de Tom avaient été défaits, et que les quelques vêtements qu'il avait apportés avaient été rangés. Ses affaires de toilette aussi avaient été rangées, dans la salle de bains somptueuse, aux murs de céramique, à l'immense baignoire à laquelle on accédait par deux marches.

Tom alla à la fenêtre. Il vit la traditionnelle petite cour intérieure avec son jet d'eau et sa corbeille de fleurs.

— C'est curieux, dit-il en se retournant vers Nick. Il y a des barreaux à la fenêtre...

— Ce palais est très vieux, dit Nick en souriant. A peu près la moitié des fenêtres ont des barreaux. Cette pièce magnifique a peut-être abrité quelque belle femme, naguère... Qui sait si cette partie du palais n'était pas le harem de l'émir de l'époque ?

— C'est possible. Allez, maintenant il faut

retourner à l'hôpital. Je languis de voir comment va la princesse. Elle doit être réveillée.

Le domestique avait disparu et ils eurent quelque difficulté à trouver leur chemin.

Quand ils arrivèrent enfin à la porte principale du palais, une voiture les attendait.

Tom et Nick trouvèrent Yasmine apathique mais réveillée. Elle sourit en les apercevant.

Tom lui posa différentes questions auxquelles elle répondit d'une façon qui parut le satisfaire car une lueur de plaisir éclairait son regard.

— Combien de temps encore devrais-je garder cela ? demanda-t-elle.

— Le goutte-à-goutte ? Oh ! pas longtemps ! Encore un jour ou deux...

— Je déteste ça !

Tom rit gaiement.

— Vous devez être vraiment en forme pour trouver l'énergie de vous mettre en colère contre cet appareil !

Elle lui tendit sa main libre et il la serra.

— Vous allez rester quelques jours — jusqu'à ce que j'aille mieux —, n'est-ce pas, docteur Spender ? dit-elle sur un ton de prière.

Il la regarda avec une sorte de tendresse, mais il remua la tête.

— Non, princesse ! Vous n'êtes pas mon

unique malade, vous savez ! Je dois repartir demain... Mais, je peux heureusement vous laisser aux bons soins de mon frère...

Yasmine regarda Tom fixement quelques secondes.

— Je suis vraiment égoïste, je m'en rends compte, docteur. Je ne peux pas avoir la prétention de monopoliser un homme tel que vous. Je vous suis très reconnaissante de tout ce que vous avez déjà fait pour moi. Naturellement, si d'autres ont besoin de vous, il faut bien que vous retourniez à Londres.

Elle lâcha lentement sa main, comme à regret. Il lui promit de venir la voir le lendemain matin, avant son départ.

Quand Tom et Nick furent dehors, le premier dit au second :

— La princesse ne ressemble pas à son père...

Nick ne répondit pas, mais ses yeux brillèrent.

— As-tu fait le nécessaire pour assurer la relève de Madge ? demanda Tom tout à coup. Cette pauvre Madge doit être épuisée.

— Oui. On doit la remplacer dans un quart d'heure.

— Pourquoi n'irions-nous pas, dans ce cas, manger un morceau, tous les trois ? J'ai faim, Nick... J'ai pris mon dernier repas dans l'avion...

— Excellente idée ! Va devant et attends-nous dans le hall de réception, Tom. Je retourne là-bas dire à Madge de nous rejoindre dès que la remplaçante arrivera...

CHAPITRE XI

Nick les conduisit dans un restaurant situé dans une ruelle perpendiculaire au boulevard. Le propriétaire, un vieil homme à longue barbe et dont les yeux noirs pétillaient, les accueillit avec chaleur :

— Docteur Nick ! Vous avez daigné amener vos amis dans mon humble établissement ! *Al-hamdou lillah !*

— J'ai voulu qu'ils vous connaissent et qu'ils goûtent de votre délicieuse cuisine, Mustafa ! Voici mon frère, Tom, et ma fiancée, mademoiselle Harman.

— Le docteur Nick et moi sommes de vieux amis ! Quand mon petit-fils, Kamal, a été malade, c'est lui qui l'a soigné, à l'hôpital.

Tout en les guidant jusqu'à une table placée à l'autre bout de la longue pièce éclairée aux chandelles, le vieil homme demanda à Tom s'il était le chirurgien anglais qu'on avait appelé pour sauver la très chère fille de l'émir.

Un peu gêné, Tom sourit.

— On m'a appelé, en effet, et j'ai fait ce que j'ai pu...

L'autre lui pressa les mains avec ferveur.

— Que Dieu vous bénisse, docteur !

Quand il les eut installés, il appela un serveur.

Puis, il alla au-devant d'autres clients.

Devant la carte, Madge et Tom échangèrent un regard de perplexité.

— Nick, dit Madge, il vaut mieux que tu commandes pour moi...

— Et pour moi aussi, dit Tom dans un rire.

— Je suis venu plusieurs fois lors de mon premier séjour, je commence à me débrouiller. Je vais faire ce que je peux pour vous.

Il discuta du menu avec le garçon qui se présenta à leur table. Mais, avant que celui-ci s'en fut retourné, un autre arrivait, portant un cruchon de vin. Ainsi on n'appliquait pas aux étrangers la loi commune !...

— Avec les compliments de Mustafa !

Il emplit leur verres. Puis il s'en alla.

Nick leva son verre.

— Je suppose que c'est pour fêter un événement. Il sait que nous sommes venus à al-Madaniya pour accomplir une tâche — celle de guérir leur petite princesse Yasmine

— et, comme nous avons réussi, il nous offre à boire du vin ! Goûtons ça !

Tom leva son verre, lui aussi.

— A sa guérison ! Et puissiez-vous vous-mêmes me rejoindre bientôt. Ça m'ennuie de vous laisser ici demain, mais vous n'en aurez sans doute pas pour longtemps.

— A quelle heure décollez-vous ? demanda Madge.

— Vers 10 heures. J'ai parlé à l'émir pendant que vous échangiez votre uniforme contre cette jolie robe. Il a donné l'ordre que l'on me transporte à Bahreïn où j'aurai une correspondance pour l'Angleterre. Je serai à Londres dans la soirée.

Nick eut une expression de doute.

— T'a-t-il paru vraiment résigné à ton départ ? Quand nous l'avons vu, ensemble, il m'a donné une tout autre impression...

— Je pense tout de même qu'il a fini par admettre que j'ai une responsabilité envers tous mes malades, et que, l'état de sa fille évoluant favorablement, il est normal que j'aille m'occuper d'eux !

Madge, en regardant Tom et en l'écoutant, réalisa soudain qu'il allait terriblement lui manquer. Pourquoi ? Elle ne le savait pas. Etait-ce simplement parce qu'elle aurait bien voulu, elle aussi, regagner Londres ? Peut-être redoutait-elle des complications ?

Elle regarda Nick ! Combien il était différent de son frère ! Nick était charmant, ingénieux, praticien habile. Mais Tom était plus solide : de caractère sociable, d'humeur égale, loyal, c'était un homme qui, d'un seul mot de sa voix sûre et tranquille, d'un seul regard de ses yeux compréhensifs et graves, était capable d'insuffler à un malade un nouveau courage et de rendre l'espoir à ceux qui l'avaient perdu.

La chère était excellente. Tous trois étaient affamés et y firent honneur, presque avec avidité.

De temps à autre Mustafa venait s'assurer que tout allait bien.

— Qu'est devenue cette jeune femme qui, en votre compagnie, a daigné bien souvent honorer de sa présence mon humble établissement ? dit-il. C'était une infirmière, je crois.

Le rouge monta aux joues de Nick.

— Je... je ne vois pas exactement... Je vous ai amené pas mal de gens de l'hôpital.

Le vieil homme, comprenant qu'il avait « gaffé », n'insista pas et s'en tira en demandant s'il devait faire apporter un autre cruchon de vin.

— Alors c'est ici que tu avais l'habitude d'amener tes conquêtes ? dit Tom sur un ton de plaisanterie.

— Je suis venu souvent, c'est vrai, mais avec n'importe qui. Je ne sais plus...

Et il parla d'autre chose, tandis que Madge se demandait pourquoi, s'il avait invité à plusieurs reprises Joan Bailey, il refusait de l'avouer.

C'était cependant très naturel. Elle n'était pas sotte au point de croire que, parce qu'ils étaient fiancés, il n'avait pensé qu'à elle pendant tous ces mois de séparation.

Peut-être son amitié avec Joan Bailey avait-elle été beaucoup plus sérieuse qu'elle l'avait pensé ? Peut-être l'avait-il autorisée à quelque espoir et n'avait-il pas été fâché de prendre du champ en retournant en Angleterre ? Avait-il paru ennuyé quand il avait appris qu'il devrait raccompagner Yasmine ? Non. Sur le moment il avait été, apparemment, très content. Elle avait cru que c'était parce qu'il était heureux que Yasmine ne lui échappât pas complètement et si vite... Mais, ne s'était-elle pas trompée de femme ? N'était-il pas satisfait à l'idée de retrouver Joan Bailey ?

Que tout cela était embrouillé ! Ah ! comme elle aurait aimé pouvoir repartir en même temps que Tom, quitter al-Madaniya et laisser toutes ces questions... Alors peut-être les choses se seraient-elles éclaircies d'elles-mêmes, tout serait rentré dans l'ordre. Mais, au fond d'elle-même elle savait qu'il n'en aurait rien été. Même en fermant les yeux sur certaines réalités, rien ne serait plus comme avant. Nick avait changé. Et elle aussi...

En quittant le restaurant, ils décidèrent de s'arrêter de nouveau à l'hôpital.

— J'aimerais m'assurer que la princesse a bien « récupéré », déclara Tom.

L'infirmière se leva quand ils entrèrent dans la chambre de la princesse. Celle-ci dormait profondément.

Tom regarda le tableau, au pied du lit.

— Tout paraît normal. Il n'y a rien eu de particulier, mademoiselle ?

La petite infirmière sourit.

— Elle dort depuis votre dernière visite, docteur...

— Bon, nous pouvons rentrer ! Nous avons besoin d'une bonne nuit de sommeil !

Une fois au palais ils se séparèrent, Tom allant de son côté, Nick et Madge du leur, à l'opposé.

Nick fit remarquer :

— Ce qui m'étonne, je dois le dire, c'est que l'émir se soit si facilement résigné à laisser repartir Tom...

— Mais, il ne peut pas l'en empêcher ! s'écria Madge. Tom est citoyen britannique, il n'est pas un sujet de ton émir !

Ils arrivèrent à la porte de la chambre de Madge.

— Tu imagines toujours des choses, Nick... Demain, à cette heure-ci, Tom sera à Londres. Tout simplement !

Nick sourit.

— Tu as sans doute raison ! Va vite te coucher, Madge. La journée a été longue. Tu dois être épuisée.

Elle hocha la tête.

— Je le suis, en effet. Bonne nuit, Nick !

Il la tint contre lui un moment, puis, après l'avoir embrassée légèrement, il s'en alla. Elle le suivit du regard un moment. Puis, avec un soupir elle pénétra chez elle.

Cela ne ressemblait guère à un duo d'amoureux ! Mais, bah ! ils étaient l'un et l'autre fatigués. Les choses seraient sans doute différentes le lendemain matin, après une bonne nuit de repos.

Nick et Madge étaient auprès de la princesse lorsque Tom arriva pour son ultime visite.

Yasmine paraissait en pleine forme.

Tom déclara, enchanté :

— Je ne crois pas que vous aurez d'autres ennuis, princesse ! J'ai dit à l'émir, votre père, que je me tenais à sa disposition pour revenir, à la moindre alerte, mais, sincèrement, je ne pense pas que vous aurez besoin de mes services...

La princesse lui tendit la main et sourit.

— Je vous remercie de tout ce que vous avez fait pour moi, docteur. Je suis pleinement consciente que je vous dois de vivre.

Tom sourit à son tour.

— Vous allez retrouver peu à peu toute votre énergie. Mon frère veillera à ce que votre convalescence s'effectue dans les meilleures conditions...

La porte s'ouvrit et Mohammed ben Soussan entra. Il paraissait très excité.

— L'émir arrive ! lança-t-il.

Yasmine ouvrit des yeux ronds.

— Mon père ! Si tôt le matin et à l'hôpital ?

— Oui ! oui !

La porte s'ouvrit de nouveau et l'émir entra.

Il s'approcha du lit et regarda attentivement sa fille. Puis, il prononça quelques mots en arabe. Yasmine lui sourit et répondit dans la même langue.

Alors il se tourna vers Tom.

— Comment la trouvez-vous ce matin, docteur ?

— Beaucoup mieux, Altesse.

— Vous pensez que vous pouvez la laisser sans aucun risque et retourner en Angleterre ?

— J'en suis certain. Je ne m'attends à aucune complication...

— Et s'il y en avait, des complications, plus tard ?

— Je reviendrais immédiatement, Altesse. Vous m'en excuserez, je l'espère, mais il faut que je parte. Je crois que vous avez organisé mon départ pour Bahreïn à 10 heures, n'est-ce pas ?

L'émir inclina la tête.

Madge, qui l'observait, fut frappée par l'expression fugitive de son regard, étonnamment vivace dans ce visage maigre qui paraissait taillé dans du bois.

— Oui, je l'ai « organisé », comme vous dites, répondit-il, suave. Une voiture vous attend devant l'hôpital pour vous conduire à l'aérodrome.

Tom se tourna vers Yasmine.

— Au revoir, princesse ! Je pense que vous êtes en train de commencer une nouvelle vie, pleine de promesses.

— Merci, docteur Spender, répondit-elle en lui tendant la main.

Nick accompagna son frère jusqu'à l'entrée de l'hôpital...

— Je n'arrive pas y croire ! dit-il lentement. On dirait que l'émir est vraiment résigné à ton départ.

— Il pourrait difficilement m'empêcher de partir, dit Tom en souriant.

— Tout de même..., murmura Nick.

Il était perplexe...

— Bon, eh bien, je te souhaite de faire un bon voyage, Tom !

— Je te remercie. Quant à toi, ne tarde pas trop à rentrer au pays. Tu pourras quitter la princesse dans quelques jours, et sans crainte, comme je te l'ai déjà dit.

Le chauffeur tenait ouverte la portière arrière. Tom monta.

Quelques secondes plus tard la voiture descendait la rampe donnant accès à la route. Nick la suivit des yeux tant que ce fut possible, puis il revint sur ses pas.

Dans l'auto, Tom se cala et tenta de se relaxer. Il était navré de laisser Nick et Madge, mais, comme ils seraient vraisemblablement à Londres deux semaines plus tard...

Il observait la rue animée. Mais, ce n'était pas celle-là qu'il avait suivie pour venir ! Ne se dirigeaient-ils pas plutôt vers le palais ?

Il frappa à la vitre. Mais le chauffeur paraissait ne rien entendre.

— Arrêtez ! cria-t-il.

Là encore le chauffeur parut sourd.

Tom comprit que l'émir s'était joué de lui !

L'auto pénétra dans le palais et alla s'arrêter devant une porte ouverte.

Deux hommes en uniforme surgirent. L'un d'eux ouvrit la portière et l'autre lui intima l'ordre de sortir du véhicule.

Malgré ses protestations, ils l'entraînèrent.

Ils le menèrent, indifférents à ses objurgations, jusqu'à la chambre qu'il avait occupée la nuit précédente, la chambre dont la fenêtre était garnie de barreaux et dont la porte avait une solide serrure...

Il s'assit sur le lit, s'efforçant de retrouver le contrôle de lui-même...

Frapper à la porte aurait été parfaitement inutile. La seule chose à faire était de se contraindre au calme.

Pourquoi l'émir le retenait-il ainsi ? La réponse était que, aimant passionnément sa fille, il ne voulait pas que l'homme qui l'avait sauvée s'en allât avant qu'elle ne fût définitivement tirée d'affaire... Ayant compris que Tom n'accepterait pas de rester de son plein gré, il avait décidé de l'y contraindre.

« Je comprends les craintes de cet homme, pensa le chirurgien. Mais, ce qui est inadmissible, c'est qu'il ne veuille pas considérer que d'autres aient besoin de moi ! »

Une heure plus tard, il entendit une clef tourner dans la serrure.

La porte s'ouvrit et l'émir parut.

Celui-ci regarda Tom et sourit.

— Docteur Tom Spender !

Derrière, dans l'ombre du couloir, Tom distingua des hommes en uniforme.

— Puis-je demander à Votre Altesse pour quelle raison elle me traite comme un criminel ?

L'émir sourit plus largement et d'un geste circulaire désigna le décor qui les entourait.

— J'ai peine à croire, docteur Spender, qu'il soit d'usage en Angleterre d'offrir aux criminels un tel logis...

— Je ne parle pas de cela, mais de la violence que vous me faites en me retenant. Je suis sujet britannique. Je puis aller et venir comme bon me semble et, dans l'immédiat, je désire me rendre... en Angleterre.

L'émir s'inclina.

— Nous arrangerons cela aussitôt que ma fille sera complètement rétablie.

— Mais, si vous me faites conduire chaque jour à l'hôpital pour l'examiner, qui m'empêchera de mettre mon frère au courant — ou n'importe quelle autre personne dont je saurai me faire entendre — de la façon indigne dont vous me traitez ?

— Vous ne serez pas conduit à l'hôpital, cher monsieur Spender... A moins que l'état de ma fille ne s'aggrave... Je ne vous garde ici que pour vous avoir à ma disposition en cas de nécessité.

— Vous voulez dire que je serai séquestré ?

— Vous m'avez bien compris, docteur Spender... Dès que les autres médecins déclareront, d'un commun accord, que la princesse est hors de danger, vous serez autorisé à regagner l'Angleterre. Ce ne peut être très long et je veillerai à vous rendre ce séjour forcé confortable... Vous prendrez vos repas dans votre chambre, vous avez une salle de bains très agréable. Je vous ferai porter des livres et les journaux de Londres. Et là vous avez un poste de radio. Si vous êtes l'homme raisonnable que je crois, docteur Spender, vous profiterez de ces vacances...

— Mais, mon frère... et mademoiselle Harman... me chercheront !

L'émir secoua la tête.

— Il leur a été dit que mon avion vous attendrait à l'aérodrome à 10 heures pour vous transporter à Bahreïn. En ce moment même ils vous croient en train de voler vers l'Angleterre, car mon avion a bien décollé à l'heure dite

Il salua ironiquement et se dirigea vers la porte.

— Vous imaginez bien qu'aussitôt libéré je me plaindrai auprès des autorités de mon pays !

L'émir se retourna, un sourire moqueur aux lèvres.

— Cher monsieur Spender, vous semblez ne pas avoir à l'esprit que je suis un chef d'Etat. Aucun gouvernement ne peut rien contre moi sur le plan juridique. Vous pourrez vous plaindre, bien entendu. Et après ? Le gouvernement britannique ne pourra rien faire de plus qu'élever une protestation. On ne me déclarera pas la guerre ! Et on a besoin de mon pétrole. Bonne journée, cher docteur. J'espère que vous apprécierez mon hospitalité tout le temps que vous serez mon hôte.

La porte se referma sur l'émir et longtemps Tom resta les yeux fixés sur elle avec un atroce sentiment d'impuissance. Enfin il se dressa et commença à arpenter sa prison.

Il n'y avait rien à faire ! L'émir était tout-puissant...

CHAPITRE XII

La face sombre du Dr Ibn Soussan s'éclaira d'un grand sourire quand Nick pénétra dans son bureau.

— Ah ! docteur Spender ! C'est gentil d'avoir répondu à mon appel ! Asseyez-vous ! Nous devons avoir un petit entretien.

Nick prit place dans un confortable fauteuil. Il se demandait pourquoi Mohammed ben Soussan l'avait convoqué. L'état de la princesse Yasmine était très satisfaisant. Par ailleurs, il n'y avait aucun problème particulier concernant l'un des autres malades.

— Je n'ai encore aucune nouvelle de mon frère, dit-il. Il y a pourtant trois jours qu'il est reparti.

— Un homme aussi occupé que votre frère ne trouve certainement pas le temps d'écrire ou de téléphoner simplement pour dire qu'il est bien arrivé. Il ne tardera pas à se manifester, soyez-en sûr, cher confrère.

— Je l'espère bien !... Vous avez désiré me voir ? Pourquoi ?

Le regard amical du Dr Ibn Soussan s'éclaira.

— Docteur Spender, vous n'ignorez pas la réputation favorable dont vous jouissez dans ce pays.

Il s'était penché en avant, les deux mains à plat sur son bureau.

— Je suis très honoré de ce que vous me dites, cher ami. J'ai moi-même éprouvé une grande joie à travailler ici...

— Il vous serait plus agréable de rester ici que de retourner chez vous ?

Nick réfléchit.

— Je ne sais pas. Dans un sens, j'ai de la peine de partir... D'un autre côté...

— J'ai reçu des directives de l'émir...

Mohamed ben Soussan sortit un document du tiroir.

— Il me donne l'ordre de vous proposer le poste de médecin-chef pour une durée de cinq ans. Si cela vous agrée, ce contrat pourra être renouvelé pour cinq autres années à son expiration. Et c'est vous seul qui en déciderez. En fait, l'hôpital vous offre un contrat de dix ans en vous laissant la latitude de le dénoncer à mi-parcours.

Nick était complètement ahuri. Il ne s'était a aucun moment attendu à une offre pareille !

Il avait toujours su qu'il pourrait travailler à al-Madaniya aussi longtemps que cela lui plairait, mais de là à se voir offrir un tel poste à l'âge de vingt-six ans...

Le Dr Ibn Soussan s'appuya contre le dossier de son fauteuil et observa malicieusement son confrère.

— Vous semblez bien surpris !

— J'avoue que je le suis.

— Evidemment, le traitement sera en rapport avec la fonction. Dix mille livres par an sans compter beaucoup d'avantages matériels. Et, naturellement, tout cela exempté d'impôts... Vous auriez un logement de fonction, c'est-à-dire une maison individuelle, comparable à celle que vous avez occupée lors de votre premier séjour, et une domesticité qui serait à la charge de l'hôpital.

Nick pensa tout à coup à Madge. Qu'en dirait-elle ?

— Je vais être obligé de vous demander un certain délai de réflexion...

— C'est tout naturel, cher ami ! Réfléchissez deux ou trois jours... Vous savez, notre émir n'aime pas attendre...

Nick se leva.

— Je veux simplement prendre l'avis de ma fiancée.

— Il va de soi que si elle veut rester auprès de vous, et participer elle-même à la vie de l'hôpital, de grandes possibilités lui seront offertes. Mais cela, évidemment, c'est à elle seule d'en décider.

— Vous êtes très généreux, murmura Nick.

Le Dr Ibn Soussan, qui s'était levé aussi, lui tapota l'épaule.

— Allez réfléchir à tout ça et en parler à votre fiancée. Dès que vous aurez pris une décision, vous m'en ferez part.

Il n'aurait pas la possibilité d'en parler à Madge avant le soir. Il avait organisé les choses de telle sorte qu'il faisait à Yasmine sa visite du soir lorsque Madge terminait son service.

L'heure venue, il s'y rendit.

— Comment allez-vous ce soir, princesse ? dit-il en pénétrant dans la chambre.

Yasmine était assise, détendue, sur son lit.

— Quand me permettrez-vous de me lever ? dit-elle. Je suis fatiguée d'être au lit !

— Pas avant deux ou trois jours, dit-il en sortant son stéthoscope de la poche de sa blouse. Vous avez encore besoin de repos. Après tout, il n'y a que quatre jours que l'on vous a opérée.

Elle soupira.

— Vous êtes un homme cruel ! Je me demande ce qu'aurait dit votre frère...

— Il aurait été de mon avis, affirma-t-il en souriant.

— Avez-vous reçu de ses nouvelles depuis son retour en Angleterre ?

— Non ! Mais, il est très occupé. Il avait plusieurs malades qui l'attendaient quand il a dû venir ici à l'appel de votre père.

— Je lui serai éternellement reconnaissante de cela.

La porte s'ouvrit.

— Ah ! s'écria Yasmine, on vient vous relever, Madge ! Allez-vous-en, tous les deux ! Vous devez être impatients de vous retrouver seuls...

Nick et Madge lui souhaitèrent le bonsoir et partirent.

Dans le couloir, Nick proposa :

— Allons dîner au restaurant. J'ai quelque chose à te dire.

Elle lui jeta un regard de biais. Elle le sentait très excité.

— Que se passe-t-il, Nick ?

— Je ne peux pas t'en parler comme ça... Attends que nous soyons chez Mustafa. Làbas nous serons tranquilles.

— Il faut que j'aille au palais pour me changer.

— Je t'accompagne...

Ils sortirent de l'hôpital et prirent l'auto

que le Dr Ibn Soussan avait mise à la disposition de Nick.

Tout en roulant vers le palais, Madge se demandait si Nick s'apprêtait à lui dire que la princesse allait on ne peut mieux et que le moment était venu de regagner l'Angleterre.

Si cela se pouvait !

Elle, elle serait ravie de s'en aller. Mais Nick ?

Ils suivaient l'avenue menant au palais lorsqu'elle déclara :

— Je me demande, Nick, pourquoi ton frère ne t'a pas encore donné de nouvelles...

Nick haussa les épaules.

— Il n'a sûrement pas eu le temps d'y penser. De toute façon, s'il lui était arrivé quelque chose ça se saurait ! Aucun avion ne s'est écrasé, n'est-ce pas ?

Madge sourit, se moquant ainsi d'elle-même. Il avait raison, bien sûr ! En arrivant à l'hôpital Sainte-Anne, ce pauvre Tom avait dû trouver des malades inquiets et impatients, peut-être amers, voire désespérés, et faire des opérations en chaîne.

Madge échangea rapidement son uniforme contre une robe de shantung qu'elle avait achetée la veille. Elle se regarda longuement dans la glace avant de quitter la chambre. Elle se demanda si Nick aimerait cette robe.

Pensait-il encore qu'elle était jolie, comme il le lui avait dit naguère ? Ces derniers temps, il n'avait pas semblé se soucier de son apparence...

Mustafa al-Yamani les reçut avec des démonstrations d'amitié et les conduisit à une table à l'écart.

Quand ils eurent commandé, Nick mit les coudes sur la table et regarda Madge avec des yeux brillants.

— Devine ce qui se passe, Madge !

Elle rit de son excitation.

— Je ne sais pas, Nick, mais en tout cas c'est quelque chose qui te rend joyeux comme un gosse la veille de Noël.

— On m'offre le poste le plus élevé du corps médical de l'hôpital d'al-Madaniya. Tu réalises, Madge ? Dix mille livres par an, sans taxes ni impôts, sans aucune charge, tous frais payés, y compris le logement et la domesticité.

Comme elle restait sans réagir, il s'énerva...

— Alors ? Tu ne trouves pas ça formidable ?

Elle se mordit la lèvre.

— Mais, Nick... Qu'adviendra-t-il de ta situation à Londres ?

— De ma situation ?... Ecoute, j'étais très content d'être à *Sainte-Anne*, mais avoue que j'étais sous-payé pour le travail que je faisais et la responsabilité que j'avais. De plus, je n'avais pas un poste d'autorité, j'étais médecin consultant, un parmi d'autres...

— Tu envisages donc de t'installer à al-Madaniya pour plusieurs années ? Mais, Nick...

— Je constate que tu as l'habitude de repousser toute proposition inattendue et cela sans jamais prendre le temps de l'examiner. Tu dis non par principe, quoi !

Nick était si irrité que Madge préféra ne pas répliquer.

Il reprit, après un silence :

— Le docteur Ibn Soussan m'a dit que si tu voulais rester, on te donnerait un poste, un poste qui serait très bien payé aussi. Il a eu l'air de dire qu'après cinq ans nous pourrions rentrer en Angleterre avec une petite fortune. Les choses étant ce qu'elles sont en Angleterre, on ne peut espérer mettre de l'argent de côté en travaillant là-bas...

— Si nous restons, Nick, ce sera comme... mari et femme ?

— Bien entendu ! Nous pourrons nous marier et nous serons très confortablement logés... et servis.

— Et si nous avons des... des enfants, tu voudras les élever dans un endroit pareil ?

Voyant venir l'orage dans le regard de Nick, elle se hâta de poursuivre :

— Nick, je voudrais tant que tu examines

les choses avec soin, sagement, en prenant le temps d'envisager toutes les conséquences... Je n'ai vécu que quelques jours à al-Madaniya et dans le luxueux palais de l'émir. Mais, qu'est la vie dans le pays même, et quel effort représente le seul fait d'y travailler ? Qu'est-ce qu'al-Madaniya ? Une ville et une immense étendue de sable... Et très rares sont ici nos compatriotes...

Nick répliqua rageusement :

— Tu mets toujours en avant le mauvais côté des choses ! Tu cherches ce qui peut décourager, rebuter, l'aspect négatif ! Mais enfin, il y a quelques Anglais, à l'hôpital ! Il y a par exemple le docteur Alton et sa femme, Joan Bailey...

— Oui, il y a Joan Bailey, murmura-t-elle avec une nuance d'aigreur dans la voix tandis que son regard montrait amertume.

— Allons bon ! Qu'est-ce que tu as contre Joan Bailey ? Tu n'es pas jalouse d'elle, tout de même ?

— Oh ! Nick, je n'ai rien contre elle ! Et je n'en suis certainement pas jalouse. C'est seulement que... que je ne crois pas que je pourrais devenir l'amie de cette femme.

Elle piquetait dans son assiette du bout de sa fourchette. Brusquement elle n'avait plus faim. Son estomac était comme noué. Elle dut faire un effort pour refouler des larmes.

— Tu es donc d'avis que je refuse l'offre

de l'émir, Madge ? Tu préfères que je rentre en Angleterre et que je passe tout le temps que Dieu voudra bien m'accorder à travailler pour payer des traites ?

— Oh ! Nick, pourquoi pousser les choses à l'exagération, comme ça ? Je t'ai dit simplement ce que je pensais de la proposition qui t'a été faite. A première vue, ça paraît formidable : un gros salaire et de nombreux avantages autour. Mais, j'essaie de voir plus loin...

— L'émir veut une réponse rapidement. Je n'ai pas l'intention de lanterner. Il faut donc que tu prennes rapidement position...

Madge repoussa son assiette.

— Je crois qu'il faut rentrer au palais, Nick. Je veux penser à tout cela tranquillement. Toi, je le vois bien, tu as déjà opté. Moi, je vais voir...

Il ne dit rien, appela Mustafa al-Yamani pour lui réclamer l'addition.

— Déjà, docteur ? Vous n'avez presque rien mangé ! Ce n'était pas bon ?

— C'était délectable, mais ma fiancée ne se sent pas bien. Nous reviendrons, Mustafa...

Ils reprirent la voiture et retournèrent au palais dans le silence.

Nick consulta sa montre. Il était encore tôt. S'il se couchait maintenant, il ne dormirait pas.

Mais, que pouvait faire ? où pouvait aller ?

Il pouvait se rendre à l'hôpital ? Il avait quelque chance de rencontrer quelqu'un avec qui bavarder là-bas.

Il reprit donc la voiture...

L'immense bâtiment éclairait la nuit. Sa vue lui fit chaud au cœur.

Il laissa la voiture et se dirigea vers le hall de réception en sifflotant.

Il entra.

Joan Bailey, qui avait été retenue par une « urgence » — un homme accidenté était arrivé juste au moment où elle allait quitter son service — l'aperçut.

— Que faites-vous là ? lui dit-elle. Je croyais qu'il y avait longtemps que vous aviez terminé !

— Ah ! Joan, quelle chance ! Vous venez prendre un café avec moi ?

Le cœur de l'infirmière battit plus vite...

— Bien sûr ! A la cantine ?

Il fit la moue.

— Ma voiture est là... Si nous allions jusqu'à ce petit restaurant, à l'entrée du désert ?

— Laissez-moi juste le temps d'aller prendre un manteau !

Nick alla attendre Joan dans la voiture. Avait-il été bien avisé en proposant cette sortie ? Si cela parvenait aux oreilles de Madge, que dirait-elle ?

Bah ! il était peu probable que cela fût !

Joan eut vite fait. Il n'avait pas fini de fumer sa cigarette qu'elle était là. Ils s'en allèrent aussitôt.

Lors de son premier séjour à al-Madaniya, Nick avait souvent emmené Joan Bailey à ce *Maqha al-Ouaha* (*).

Les tables étaient dans le jardin, sous les palmiers. La lourde chaleur du jour était tombée et une brise tiède venait du désert. Dans un ciel d'opale la lune se levait. Entre les palmes on voyait de lointaines et minuscules lumières pailleter l'étendue comme des clous d'or. L'atmosphère était romantique.

Un serveur souriant apporta le café et Joan en emplit leurs tasses. Il était fort, sucré et très chaud.

Comme Nick sirotait en silence, le regard perdu sur la mer de sable, sa compagne demanda :

— A quoi rêvez-vous ?

Il se tourna vers elle.

— Avez-vous entendu parler de ce que l'on m'a proposé aujourd'hui ?

— J'ai vaguement entendu des rumeurs selon lesquelles vous resteriez peut-être à al-Madaniya. Mais, c'est tout. Que vous a-t-on proposé ?

Pourquoi ne pas tout lui dire ? Elle était

(*) Café de l'oasis.

sympathique, et elle avait été si amicale ! Il l'aimait bien, et depuis toujours. Ils avaient passé ensemble bien des heures agréables...

Elle l'écouta, et devina pourquoi il était de méchante humeur...

— Mademoiselle Harman n'est pas d'accord pour que vous acceptiez, n'est-ce pas ?

Nick, le regard dur, secoua la tête.

— Elle semble croire que ma carrière commencée à Londres doit finir à Londres, et de préférence à l'hôpital Sainte-Anne ! Le fait que je gagnerais deux fois plus ici ne l'impressionne pas...

— Soyez objectif, Nick ! La perspective, pour une jeune femme, de vivre dans un pays comme celui-ci n'est pas aussi séduisante que vous l'imaginez. Vous, vous aurez votre travail. Mais pour elle ce sera différent...

— Ibn Soussan lui offre un poste... A nous deux nous pourrions mettre de côté en cinq ans une petite fortune.

Joan resta silencieuse un moment, puis elle demanda gentiment :

— Vous l'aimez, n'est-ce pas, Nick ?

— Naturellement ! Qu'est-ce qui vous fait croire que je pourrais ne pas l'aimer ?

— Le fait que vous n'envisagez les choses que de votre point de vue...

Nick grimaça, baissa la tête. Joan pensa qu'il avait l'air d'un petit garçon qui vient d'être grondé.

— Mais, une femme ne doit-elle pas accepter les décisions de son mari ? Après tout, c'est surtout lui qui assure la prospérité du ménage. Or, il se trouve que j'estime pouvoir le faire beaucoup mieux à al-Madaniya que je ne le pourrais à Londres !

Tom avait parlé sur un ton ferme...

— Et si Madge retournait à Londres pour vous inciter à la suivre, le feriez-vous ?

Un froid rayon de lune éclaira à cet instant le visage crispé de Nick.

— Non, je ne crois pas.

— Vous la laisseriez vous échapper ?

— Il me semble. C'est elle, dans ces conditions, qui m'aurait laissé lui échapper ! Elle aurait fait son choix.

Après un silence, Joan dit, à voix très basse :

— Voyez-vous, Nick, vous êtes très égoïste. Je crois que, moi, je vous comprends mieux que beaucoup d'autres ; j'estime néanmoins que vous n'avez vraiment pas assez de considération pour autrui. Il y a des limites... Vous dites que vous aimez Madge, mais franchement, j'en doute. Il me semble me rappeler que vous m'avez confié, il y a déjà longtemps, que vous étiez séduit par la princesse... Qu'en est-il aujourd'hui ?

Nick répliqua rageusement :

— Je ne l'aime plus, si c'est cela que vous voulez me faire avouer. Mais, je ne l'ai jamais aimée vraiment. Je l'ai cru, c'est tout. Je pense que Madge s'est imaginé que je suis épris de la princesse Yasmine. Mais j'ai compris depuis longtemps que cet amour était impossible...

Joan se leva.

— Je voudrais bien rentrer, Nick. Je suis fatiguée. La journée a été longue et dure...

Nick appela le serveur, paya, et ils retournèrent à la voiture sans dire un mot.

Sur la route, Nick dit soudain :

— Ce que je ne peux supporter, c'est que vous me preniez pour un goujat, Joan.

Dans la clarté de la lune elle voyait son profil durci.

— Je ne vous considère pas comme un goujat, Nick. Simplement, je... Oh ! vous devriez essayer de comprendre ce que ressentent les autres et ne pas vous préoccuper uniquement de ce que vous ressentez vous-même !

Il ne répliqua pas, mais dans le regard qu'il fixait devant lui elle vit passer comme un regret.

Et il regrettait en effet de ne rien pouvoir entreprendre sans qu'immédiatement tout s'embrouillât ! Il aurait dû être au comble de la joie ce soir. Au lieu de cela, il avait le cœur et la conscience affreusement chargés, et le pis était qu'il ne savait pas pourquoi. Même Joan, qu'il croyait son amie, se dressait contre lui, l'accusait.

Il la déposa juste devant l'hôpital.

Comme il restait assis au volant, elle se pencha vers lui.

— Ne m'en veuillez pas trop, Nick, dit-elle. J'ai voulu seulement vous aider... Bonne nuit !

Quand elle se fut éloignée, il repartit en direction du palais, l'esprit en désarroi.

Madge dormit peu cette nuit-là. Plus d'une fois elle quitta son lit pour aller à la fenêtre regarder la petite cour avec son jet d'eau, et la corbeille de fleurs dont l'éclat était atténué par la lumière de la lune. Un parfum flottait dans l'air encore tiède.

Qu'allait-elle faire ? Se plier à la volonté de Nick ? ou retourner seule en Angleterre ?

Car il était évident que Nick accepterait l'offre qui lui était faite.

Elle s'interrogea : l'aimait-il vraiment ?... Devait-elle rester avec lui à al-Madaniya ? Elle n'était même plus sûre de ses propres sentiments...

Elle se rappela le bon temps, celui des débuts de leur roman. La première fois qu'elle l'avait vu, fort, séduisant... Il y avait une sauterie à l'hôpital, elle ne se souvenait plus à quelle occasion. Quand il l'avait vue entrer, il était allé droit à elle et l'avait entraînée dans une danse échevelée. Et ils avaient dansé ensemble durant toute la soirée. Le lendemain, il l'avait invitée à dîner. Ils s'étaient promis peu après de vivre un jour conjugalement.

« Je l'aimais alors, pensa-t-elle. Quelque chose d'aussi merveilleux ne peut pas périr si soudainement. Peut-être est-ce l'atmosphère d'al-Madaniya qui dessèche et pollue toute chose... Si nous étions restés à Londres... »

Elle était en proie à des pensées contradictoires.

Enfin, elle se recoucha...

CHAPITRE XIII

Quand Madge se réveilla, le soleil entrait dans la chambre et sa montre indiquait qu'il était 9 heures. Elle sauta du lit.

Sur sa table de chevet, une théière avait été posée. Mais le thé était froid. Elle n'avait pas été tirée du sommeil par le bruit qu'on avait fait.

Elle fit sa toilette en se demandant ce qu'elle dirait à Nick quand elle le verrait.

Mais, elle ne le vit pas de la matinée. Elle pensait qu'il avait peut-être renoncé à visiter la princesse pour éviter de la rencontrer : ils ne s'étaient pas quittés en très bons termes la veille.

Elle s'était excusée auprès de la princesse pour son retard. Mais Yasmine avait répondu en souriant qu'après avoir passé tant d'heures à son chevet elle avait bien le droit d'avoir un peu de temps pour elle-même.

Il était exactement midi lorsque Nick arriva.

— Je croyais que vous m'aviez complètement oubliée, docteur ! dit Yasmine sur un ton amical.

Il répondit, tout en consultant le tableau de soins :

— Comme si j'étais capable de faire ça !

Madge se rappela la certitude qu'elle avait eue à Londres de l'amour de Nick pour la princesse. Elle s'était trompée : il la traitait comme il traitait les autres malades, avec un intérêt chaleureux.

— Quand pourrai-je me lever ?

— Dans quelques jours.

— Oh ! vous êtes méchant !... Je veux rentrer au palais. J'en ai assez de votre bel hôpital !

— Pourtant, vous devrez être patiente, princesse. Et... ce bel hôpital n'est pas *mon* hôpital. Où avez-vous pris cette idée ?

La malice brilla dans les beaux yeux noirs.

— C'est mon petit doigt qui me l'a dit...

Puis, plus sérieusement, Yasmine expliqua :

— Mon père est venu me voir hier soir. Il m'a dit qu'un poste important vous avait été offert. J'espère que vous avez accepté, docteur ?

A cet instant, Nick rencontra le regard de Madge, mais il se détourna aussitôt.

— Ma réponse dépendra d'un certain nombre de choses. Pardonnez-moi, princesse, mais il faut que je vous quitte. J'ai énormément de travail aujourd'hui...

Madge l'accompagna jusqu'à la porte.

— Quand nous verrons-nous ? chuchota-t-elle.

Plus tôt ils discuteraient de leurs problèmes et mieux cela vaudrait. Nick n'avait-il pas dit que l'émir attendait sa réponse ? D'autre part, elle voulait que le point fût fait.

— A quelle heure termines-tu ton service ? C'est bien à 18 heures ?

Elle acquiesça.

— Bon. Nous nous retrouverons donc à la cantine à 18 heures.

Nick s'éloigna à grands pas et Madge revint auprès de Yasmine.

— Vous a-t-il parlé du poste qu'on lui a offert, Madge ? C'est magnifique, non ?

Madge se força à sourire.

— Il en est tout guilleret !

— Et vous ?

Madge n'eut pas le temps de répondre : on frappa à la porte et le prince Hamid entra.

Le visage de Yasmine s'éclaira.

— Hamid ! Tu es gentil d'avoir téléphoné pour savoir si tu pouvais venir...

Se voulant discrète, Madge alla à l'autre bout de la pièce. Elle avait d'ailleurs plusieurs petits travaux à effectuer.

De temps à autre elle jetait un regard sur Yasmine et son cousin. Ils se souriaient et il y avait beaucoup de choses dans ces sourires...

Madge soupira. Si seulement elle était sûre que Nick éprouvait pour elle ce que si évidemment Hamid éprouvait pour Yasmine, comme les choses seraient simples...

Nick était à la cantine, l'attendant, lorsqu'elle y entra, peu après 18 heures. Il sourit en la voyant.

— Qu'est-ce que je t'offre ? demanda-t-il.

— N'importe quoi ! Du thé...

Il alla au comptoir et en revint portant un plateau sur lequel il y avait deux tasses de thé fumant et une assiette de biscuits au chocolat.

— Alors, Madge, as-tu réfléchi ?

Il paraissait à Madge très radouci...

Lui non plus n'avait pas bien dormi. Sans cesse au cours de la nuit il avait tourné et retourné dans son esprit les paroles de Joan Bailey : « Vous n'envisagez les choses que de votre propre point de vue... » Elle avait dit aussi qu'elle le considérait comme un égoïste...

Madge ne voulait pas blesser Nick, et elle savait qu'elle le ferait en lui disant toute la vérité.

— Je ne peux pas rester à al-Madaniya, Nick. Je suis vraiment navrée, mais... Eh bien, ce n'est pas possible !

— Alors..., tu veux que je refuse et que je rentre avec toi à Londres ?

Il parut réfléchir profondément...

— Je le ferai, Madge, si vraiment tu me le demandes.

Madge sentit les larmes lui venir aux yeux...

— Non, Nick, je ne te le demande pas... Je veux au contraire que tu acceptes l'offre qui t'a été faite. Mais, je ne pourrai pas rester avec toi...

— Alors ?

Elle retira la bague qu'il lui avait offerte...

— Je crois que c'est mieux comme ça.

Surpris de ce geste, Nick demanda :

— Tu ne m'aimes plus du tout ?

— Je ne sais vraiment pas, Nick. Je sais seulement que je n'ai pas le droit d'accepter que tu refuses de rester ici à cause de moi...

— Madge, pourquoi ne pas rester ? Je suis sûr que tu serais heureuse à al-Madaniya si tu faisais un petit effort pour t'adapter.

Mais, elle prit la bague qu'elle avait posée sur la table et la lui mit dans la main.

— Maintenant que la princesse est assez bien pour se passer de moi, je peux rentrer en Angleterre, Nick. Quand je ne serai plus là, tu seras à l'aise pour établir tes plans. Tu ne peux le faire tant que je suis là ; essaie donc de comprendre !

Sa voix tremblait en dépit de l'effort qu'elle faisait pour se contrôler.

Elle se leva et gagna très vite la sortie de la cantine.

Nick restait là, l'anneau de fiançailles au creux de la main, les yeux rivés sur la petite silhouette de celle dont il avait cru qu'elle serait un jour son épouse.

Madge, elle, était décidée à quitter al-Madaniya le plus tôt possible.

Arrivée au palais, Madge fit demander à Jamal ben Maïmoun de la recevoir.

Le chambellan la reçut aussitôt, comme s'il l'avait attendue.

Il lui désigna un fauteuil et ne se rassit que lorsqu'elle fut installée.

— Que puis-je pour vous, mademoiselle Harman ?

— Je désire retourner en Angleterre aussi tôt que possible. Le docteur Spender m'a indiqué que la princesse Yasmine n'avait plus besoin de mes services...

Le chambellan sourit, exhibant des dents en or.

— Il y a demain un vol régulier pour Bahreïn... Je vais faire immédiatement le nécessaire pour que votre billet pour Londres via Bahreïn vous attende à l'aéroport d'al-Madaniya demain à 10 heures.

Madge se leva...

— Je vous remercie... Je ne veux pas vous importuner plus longtemps. C'est très gentil à vous de m'avoir accordé votre aide si simplement.

— Vous n'avez pas à me remercier, mademoiselle Harman... Je suis persuadé que je traduis les sentiments de l'émir en vous disant combien nous vous sommes reconnaissants pour le dévouement que vous avez manifesté à l'égard de notre princesse...

Jamal ben Maïmoun accompagna Madge jusqu'à la porte.

En se dirigeant vers sa chambre, l'infirmière se demanda comment il se faisait qu'il n'avait fait aucune allusion à Nick durant cet entretien.

Etait-ce parce que le chambellan et l'émir étaient soulagés de la voir quitter al-Madaniya... et toute seule ? Ils voulaient garder Nick. Tant qu'elle était là il restait possible qu'elle arrivât à le convaincre de ne pas rester...

Elle rangea ses affaires, prit un bain, puis lut quelques pages d'un livre.

Quand la servante qui avait été mise à sa disposition dès son arrivée à al-Madaniya vint lui demander si elle désirait quelque chose, elle réalisa qu'elle avait faim.

— Peut-être pourrais-je avoir un petit repas, ici, dans ma chambre ? dit-elle.

Un moment plus tard, la domestique revenait avec un plateau chargé de mets divers et Madge dîna.

Après s'être brossé les cheveux, avant de se coucher, Madge regarda sa main gauche. Il lui était pénible de voir l'annulaire nu...

Soudain des larmes l'aveuglèrent. Qu'elle

était sotte de pleurer ainsi sur elle-même ! N'avait-elle pas décidé seule de la rupture ? Si elle avait tenu à épouser Nick, elle la porterait encore, cette bague !

CHAPITRE XIV

Ce matin-là Madge fut debout de bonne heure. Après avoir déjeuné, elle boucla ses valises. Comme il lui restait une heure avant le départ, elle décida d'aller dire au revoir à Yasmine.

Une voiture l'attendait à l'entrée du palais. Le chauffeur lui dit que le chambellan lui avait recommandé d'être là très tôt. Il était chargé de la conduire à l'aéroport.

— Je veux d'abord aller à l'hôpital, dit-elle. J'ai largement le temps avant le décollage.

Il s'inclina et elle monta à l'arrière de la grande limousine.

Très vite ils furent à l'hôpital et Madge se dirigea vers la chambre de la princesse. Quand celle-ci la vit en tenue de voyage, il y eut dans son regard une expression que Madge ne s'expliqua pas.

— Vous partez vraiment ? demanda Yasmine.

— Oui, à 10 heures. Je suis venue vous dire au revoir.

Yasmine se tourna vers l'infirmière qui était assise dans un coin de la pièce...

— Vous pouvez vous retirer. Vous reviendrez quand mademoiselle Harman s'en ira.

L'infirmière salua et sortit.

Aussitôt Yasmine fit signe à Madge de s'approcher.

— Nous n'avons pas beaucoup de temps, dit-elle d'une voix basse. J'ai quelque chose de très important à vous dire.

Que pouvait donc avoir à dire Yasmine qui eût de l'importance ? Aurait-elle l'intention d'essayer de la retenir ?

— Je suis contente que vous ayez eu la bonne idée de venir me dire au revoir, Maggy. Il ne faut pas que vous preniez l'avion de 10 heures !

Tout en parlant elle fixait la porte comme si elle craignait que quelqu'un n'entrât.

Madge sourcilla.

— Mais si, il le faut ! Ma place est réservée...

Yasmine négligea sa protestation.

— Le prince Hamid m'a fait parvenir une lettre hier soir, poursuivit-elle. Il me communique des nouvelles très étranges. Au sujet du docteur Tom Spender...

— Au sujet de Tom ? Mais..., je ne comprends pas : il y a plusieurs jours qu'il est en Angleterre.

Yasmine secoua la tête.

— C'est ce qu'on voulait faire accroire... Mais, Hamid a découvert que mon père retenait le docteur Spender de force...

— Mais, pourquoi ferait-il ça ?

— Parce qu'il veut l'avoir à disposition pour le cas où il faudrait procéder à une nouvelle opération...

— Mais alors..., où est-il ?

— Dans une chambre du palais. Oh ! il est très confortablement installé ! Mais il n'est pas libre. Hamid l'a appris par son domestique qui est l'ami de celui que l'on a affecté au service du docteur Spender.

— Mais, c'est épouvantable ! s'écria Madge. Vous devez demander à votre père qu'il le libère immédiatement !

Yasmine secoua la tête.

— Vous ne comprenez pas, Madge. Personne n'a le droit de dire à mon père ce qu'il devrait faire. Il est le maître absolu dans ce pays. Ainsi, s'il apprenait que Hamid m'a informée de la séquestration du docteur Spender, je ne sais pas ce qui pourrait arriver à l'homme que je désire épouser. C'est pourquoi, je pense, il a préféré m'écrire que de venir à l'hôpital. Il se tient sur ses gardes parce qu'il a peur que mon père apprenne qu'il sait quelque chose.

— Mais, qu'est-ce qu'on peut faire ?

— Vous pouvez aller à l'ambassade de Grande-Bretagne, Madge. C'est seulement là que vous avez des chances de trouver de l'aide... Après tout, l'ambassadeur représente le gouvernement de Sa Gracieuse Majesté ! Mon père lui-même sera bien obligé de l'écouter s'il menace d'intervenir officiellement... Car enfin, l'opinion publique considérerait comme un scandale qu'on retînt de force un chirurgien simplement pour l'avoir à sa disposition !

— En avez-vous parlé à Nick ?

— Non. Je n'ai pas voulu le mêler à cela. On lui a offert un poste très important dans cet hôpital et je sais qu'il a envie de l'accepter. S'il se heurte à mon père, il devra retourner en Angleterre...

Madge prit la main de Yasmine entre les siennes.

— Il vaut mieux que j'aille à l'ambassade tout de suite...

— L'ambassade est sur le boulevard central...

— Je sais où elle se trouve. Nick me l'a montrée en passant il y a quelques jours.

— Alors bonne chance. Je suppose que j'aurais dû montrer plus d'égoïsme et, dans mon propre intérêt, accepter que le docteur

Tom Spender fût retenu au palais. Mais, je n'admets pas qu'on séquestre cet homme qui a tant fait pour moi ! Je ne comprends pas que mon père se conduise ainsi, avec une telle ingratitude, une telle inconscience !

Madge murmura à l'adresse de Yasmine quelques mots apaisants et s'en alla.

Pouvait-elle demander au chauffeur chargé de la conduire à l'aéroport de la déposer devant l'ambassade ? Evidemment non ! Elle devrait s'y rendre à pied et pour cela quitter l'hôpital très discrètement.

Heureusement, elle ne rencontra personne de sa connaissance et put sortir par une petite porte de service sans s'être fait remarquer.

Une fois dehors, elle laissa échapper un soupir de soulagement. Il lui fallait maintenant trouver son chemin pour gagner le boulevard, autant que possible à proximité de l'ambassade.

Elle regarda sa montre. N'aurait-elle pas dû être sur la route de l'aéroport ? Elle se demanda si le chauffeur s'était déjà étonné de son retard et s'il s'apprêtait à la rechercher. Ensuite, il signalerait sa disparition.

Elle hâta le pas. Il lui sembla à un moment donné entendre courir derrière elle. Elle se retourna et ne vit personne dans l'étroite rue déserte.

Cette rue débouchait sur une petite place. En face, dans la partie dont elle était la plus éloignée, aboutissaient deux rues. Laquelle devait-elle prendre ?

Elle se décida pour celle de droite.

Tandis qu'elle s'enfonçait dans l'étroite rue, elle aperçut deux hommes, qui venaient vers elle.

Elle eut soudain peur et fit demi-tour.

Mais, un autre homme, celui-là coiffé d'une *keffia,* arrivait.

Elle s'immobilisa, ne sachant que faire.

Les trois hommes bientôt l'entourèrent.

— Mademoiselle Harman ? demanda l'un.

Comme elle se taisait, terrifiée, il poursuivit :

— Voulez-vous nous suivre, je vous prie ? Une voiture nous attend dans la rue voisine.

La voix tremblante, elle s'écria :

— Mais, de quel droit vous permettez-vous de m'arrêter ainsi ?

— Nous avons des ordres. Suivez-nous sans esclandre, je vous prie. Nous vous ramènerons au palais. Rien de fâcheux ne vous arrivera si vous vous montrez raisonnable...

Elle essaya de leur échapper, mais l'un d'eux lui prit le bras, rudement.

Elle réalisa que toute lutte serait inutile.

Et il n'y avait personne aux environs qu'elle pût appeler.

D'ailleurs elle se doutait bien qu'en aucun cas il ne se serait trouvé, dans ce quartier pauvre, quelqu'un pour oser intervenir...

— Très bien, je vous accompagne, dit-elle calmement.

Et, avec toute la dignité dont elle était capable, elle avança, encadrée par les trois hommes.

En s'installant à l'arrière de la voiture, elle demanda à celui qui l'avait interpellée :

— Comment saviez-vous où je me rendais ?

L'homme haussa les épaules.

— Sachez, mademoiselle Harman, que toute parole prononcée dans la chambre de la princesse est immédiatement communiquée au palais... L'émir veut savoir *tout* ce qui s'y dit...

— Vous voulez dire qu'il y a des micros dans la chambre de la princesse ?

L'homme sourit...

— Naturellement, voyons...

Puis, s'adressant au chauffeur, il lança :

— Au palais, Ibrahim ! Nous avons assez perdu de temps !

Tom regarda par-dessus le livre qu'il tenait. Qui pouvait bien venir ? Il était trop tôt pour qu'on lui apportât son déjeuner.

Il entendit la clef tourner dans la serrure, puis la porte s'ouvrit et deux hommes en robe entrèrent. Derrière eux se tenait un garde du palais, reconnaissable à son uniforme rouge.

L'un des deux hommes dit :

— Veuillez nous suivre, docteur Spender !

Et comme Tom le regardait froidement, sans bouger, il ajouta :

— Immédiatement !

— Et où avez-vous l'intention de m'emmener ?

— Chez l'émir.

Tom se leva.

Au cours des derniers jours il avait demandé maintes fois à être reçu par le souverain d'al-Madaniya. Mais les domestiques lui avaient toujours répondu par un silence glacé. Il avait terriblement souffert de son isolement.

Sur le plan matériel, par contre, il avait été extrêmement bien traité : sa chambre était d'un confort exceptionnel, la nourriture qu'on lui servait était raffinée, il recevait les journaux de Londres, et tous les livres qu'il demandait.

Mais, comme le disait un proverbe, un proverbe arabe justement : sans la liberté le pain est amer.

Très souvent, les mains derrière le dos, il avait arpenté cette chambre, pensant que dans un hôpital de Londres on lui en voulait, on le méprisait peut-être... Là-bas on devait imaginer qu'il restait à al-Madaniya par intérêt matériel !

Le sentiment de son impuissance l'avait aussi miné. Il n'avait d'aide à attendre de personne. Même Madge et Nick croyaient qu'il était en Angleterre !

Enfin on allait le conduire devant l'émir ! Il allait pouvoir lui dire ce qu'il pensait de tout cela.

Peut-être... peut-être l'émir allait-il s'excuser de l'avoir retenu et le laisser aller ? Oh ! si cela pouvait être !

On lui fit suivre des couloirs qui semblaient sans fin, jusqu'à l'autre extrémité du palais.

Dans la vaste antichambre où attendaient ceux qui avaient sollicité une audience du souverain, il vit une jeune femme pâle, assise entre deux gardes.

— Madge ! s'écria-t-il en s'élançant.

Les gardes n'eurent pas le temps d'intervenir qu'elle était déjà dans ses bras.

— Pourquoi êtes-vous là, Madge ?

— Pour voir l'émir. Oh ! Tom, comme je suis contente de vous voir !

Les deux hommes qui étaient venus le chercher dans sa chambre intervinrent, eux. Ils les obligèrent à se séparer...

Ils étaient chacun d'un côté de la pièce. Tom cria :

— Pourquoi vous ont-ils amenée ?

— Parce que j'ai appris que vous n'étiez pas retourné en Angleterre comme nous le supposions. L'émir a su que j'allais à l'ambassade de Grande-Bretagne pour dire ce qui s'était passé et je pense que je suis en état d'arrestation. Ces hommes m'ont dit qu'ils appartenaient au service de sécurité de l'émir.

— Nick est-il au courant ?

— Non ! Et cela vaut mieux pour lui !

La porte conduisant chez l'émir s'ouvrit et Jamal ben Maïmoun parut.

Il s'adressa aux gardes :

— Introduisez monsieur Spender et mademoiselle Harman !

Tom et Madge n'eurent pas besoin d'être poussés par les gardes pour franchir la porte. Le visage de Tom exprimait une résolution farouche. Celui-ci avait bien l'intention de dire à l'émir, et sans ambages, ce qu'il pensait de ses méthodes...

L'émir se leva lorsque Madge et Tom furent devant lui.

Sur un mot du chambellan, les gardes s'éclipsèrent.

— Vous pouvez vous retirer aussi, dit l'émir.

Jamal ben Maïmoun sortit à reculons.

— Eh bien, monsieur Spender, je crois que votre séjour forcé n'est pas si inconfortable ? dit l'émir, un sourire éclairant son visage sombre.

— Vous n'aviez pas le droit de me faire enlever ! Je vous affirme que le monde entier sera informé quand je serai libre !

— Du calme, docteur Spender ! J'imagine que durant votre cure de repos chez moi vous recevez de mes gens toutes les marques de considération qui vous sont dues ?

— Oh ! c'est très confortable, et je pense que je dois féliciter votre chef pour sa cuisine qui est de tout premier ordre ! Mais, je crains que vous n'ayez pas compris que je voulais rentrer en Angleterre parce que des malades avaient besoin de moi...

— Si vous aviez accepté de rester jusqu'à ce que je sois entièrement rassuré sur le sort de ma fille, je n'aurais pas eu besoin d'agir comme je l'ai fait, docteur Spender.

Tom regarda Madge.

— Et vous avez également fait enlever mademoiselle Harman !

L'émir hocha la tête.

— Je regrette d'avoir dû le faire, docteur Spender ! Mais, je ne voulais pas que l'ambassade de Grande-Bretagne soit informée de cette affaire.

— Cela ne me surprend pas !... Les représentants de Sa Majesté n'auraient pas manqué d'intervenir de la façon la plus ferme !

L'émir — qui avait la réputation de ne

pas supporter la moindre contradiction — devait être dans un jour exceptionnel pour ne pas prendre ombrage du ton de Tom et des termes qu'il utilisait...

— Cher monsieur Spender, comme je vous l'ai déjà dit, je crois, je n'ai pas aussi peur de votre gouvernement que vous semblez le croire. Certes, mes relations avec la Grande-Bretagne ont toujours été bonnes, mais j'étais prêt à accepter une détérioration de ces relations à cause de ma fille !

Madge intervint :

— Quand nous libérerez-vous ?

— Dès que j'aurai l'assurance que ma fille est en état de quitter l'hôpital et de reprendre ses activités.

— Alors, faites-moi conduire auprès d'elle, dit Tom. Je l'examinerai.

— Ce n'est pas nécessaire pour l'instant, docteur Spender. Votre frère m'a dit pas plus tard qu'hier que la princesse devait rester sous surveillance encore quelques jours. C'est bien la preuve qu'elle n'est pas complètement tirée d'affaire, n'est-ce pas ?

— Au moins je pourrai vous dire ce que...

— Ne comprenez-vous pas, docteur Spender, que si je vous laissais aller à l'hôpital on saurait que je vous ai gardé ? Quand votre frère donnera le « bulletin de sortie », je vous laisserai examiner ma fille une dernière fois et je vous autoriserai à repartir pour l'Angleterre, vous et mademoiselle Harman...

— Vous voulez dire que vous allez nous garder prisonniers ?

— Oh ! docteur Spender, quel vilain mot ! Je préfère vous considérer comme mes « invités ». Quoi que vous vouliez, vous l'aurez, ce qui n'est pas le cas des prisonniers, même en Grande-Bretagne... J'espère que, lorsque vous serez en Angleterre, vous saurez me pardonner. Vous n'aurez qu'à penser à moi comme à un père aimant dont le but principal dans la vie est de veiller au bonheur et au bien-être de son unique enfant.

L'émir appuya sur un bouton et la porte s'ouvrit.

Au chambellan qui s'empressait, il dit :

— Ils peuvent regagner leurs appartements.

Il tourna le dos, signifiant ainsi à Tom et Madge que l'entretien était définitivement terminé.

Les gardes en robe blanche entrèrent, saisirent Tom et Madge par le bras et les entraînèrent.

— Madge, ne soyez pas effrayée, dit Tom tandis qu'ils traversaient l'antichambre. Je ne crois pas qu'il ait l'intention de nous faire molester.

Madge lui sourit.

— Je n'ai pas peur, Tom. Et j'espère que

nous n'attendrons pas longtemps ici, tous les deux...

— Tous les trois ! Je n'imagine pas que Nick consente à rester ici quand il saura comment nous avons été traités. D'autre part, c'est là-bas que vous vous marierez...

Après la traversée de l'antichambre, les gardes emmenèrent Tom d'un côté, Madge de l'autre. Mais, Madge eut le temps de crier :

— Nick ne rentrera pas avec nous, Tom ! Nous ne sommes plus fiancés.

Tom sursauta. Plus fiancés, Nick et Madge ? Mais, pourquoi ? Qu'était-il arrivé ?

Il essaya d'échapper à ses gardes, mais Madge était déjà hors de sa vue.

Avec un soupir, il se résigna à se laisser reconduire à sa chambre.

Quand il eut entendu la clef tourner dans la serrure, Tom se mit à marcher de long en large, en proie à une grande excitation, le regard brillant.

Si Madge et Nick avaient rompu, cela signifiait que la femme qu'il aimait été désormais libre ! Peut-être aurait-il une chance ?

Nick n'arrivait pas à s'endormir... Il se leva, alla à la fenêtre. La lune brillait, le parfum douceâtre d'un frangipanier embaumait l'air.

Il se demanda pourquoi Madge était repartie pour l'Angleterre sans même lui avoir dit au revoir. Certes, leur amour était mort, mais il n'avait pas eu l'impression qu'elle souhaitait qu'ils ne fussent pas amis.

Elle avait pris congé de la princesse Yasmine... Elle n'avait donc pas manqué de temps !

Il allait se détourner lorsqu'il lui sembla qu'il y avait un mouvement dans la cour.

Etait-ce un effet de son imagination ? Non, il y avait quelqu'un. Une silhouette se dessinait...

Le prince Hamid !

Nick se pencha.

— Que faites-vous là à cette heure de la nuit ? souffla-t-il.

L'autre mit un doigt sur les lèvres.

D'une voix si étouffée que Nick l'entendit à peine, il répondit :

— Il faut que je vous parle, docteur. Pouvez-vous descendre ? Je vous attendrai là !

D'un mouvement de la tête il avait désigné une zone d'ombre.

En chuchotant aussi, Nick demanda :

— Mais, pourquoi ? Cela ne peut attendre au matin ?

Hamid jeta un regard autour de lui et secoua la tête :

— Non ! Faites vite !

Puis, il disparut de la vue du médecin.

Nick hésitait. Mais il devait s'agir de quelque chose d'important. Hamid serait-il autrement venu le trouver au milieu de la nuit, et si discrètement ?

Il se changea rapidement et descendit dans la cour.

Hamid tenait une lampe de poche dont il masquait le faisceau et Nick put ainsi le situer et le rejoindre.

— Que se passe-t-il donc, prince ?

Hamid éteignit la lampe.

— Je suis venu vous dire qu'il faut que vous aidiez votre frère et mademoiselle Harman.

— Les aider ? Mais, ils sont en Angleterre !

— Ils ne sont pas en Angleterre, docteur... Ils sont au palais.

— Au palais ? Mais, c'est impossible ! Tom est parti il y a plusieurs jours et Madge hier matin.

— Pas du tout. Votre frère est retenu au

palais et on vous a sciemment laissé croire qu'il était parti pour l'Angleterre. Au lieu de le conduire à l'aéroport, on l'a ramené au palais. Depuis, il est dans sa chambre, gardé. Quant à mademoiselle Harman, elle a appris par la princesse Yasmine ce matin que votre frère était retenu dans les conditions que je vous ai dites et elle a voulu aller alerter votre ambassadeur. Mais, elle n'a pas pu arriver à l'ambassade... Elle est, comme votre frère, prisonnière au palais.

Stupéfait, Nick balbutia :

— Mais, je ne comprends pas... C'est fou, cette histoire-là...

— Mais non, c'est très simple. Mon oncle, l'émir, est toujours inquiet au sujet de ma cousine Yasmine. Il a peur qu'il n'y ait une nouvelle complication quand votre frère sera parti et il sait qu'il ne serait pas facile de le faire revenir immédiatement à al-Madaniya. Il a donc décidé de le garder afin qu'en cas d'urgence il soit sur place.

— Mais, comment mademoiselle Harman a-t-elle su ce qui était arrivé à mon frère ?

— J'ai écrit à la princesse pour l'informer de la situation... La séquestration de votre frère, je l'ai apprise par un modeste domestique... Quand Mademoiselle Harman est allée saluer la princesse, celle-ci l'a mise au courant et lui a conseillé de se rendre immédiatement à votre ambassade. Elle l'a fait tout de suite, mais... mon oncle avait fait installer dans la chambre de la princesse des micros afin d'être informé de tout ce qui s'y disait. Mademoiselle Harman a donc été interceptée alors qu'elle se rendait à l'ambassade et ramenée au palais.

— L'émir n'a pas dû être très satisfait que vous ayez communiqué cette information à la princesse.

— Non. Depuis, je me cache...

— Dieu merci, vous êtes venu ! Il faut que je me rende à l'ambassade sur-le-champ. L'émir sera bien obligé de relâcher mon frère et Madge.

— Je vais vous accompagner. Je connais une porte du palais qu'on laisse en ce moment sans surveillance.

— Et que pense la princesse des agissements de son père ? demanda Nick tandis qu'ils traversaient rapidement la cour baignée de lune.

Quand ils furent de nouveau dans l'ombre, Hamid eut un rire bref.

— Je suis persuadé qu'elle en est écœurée. Je ne l'ai plus vue depuis que j'ai été mis au courant de la séquestration de votre frère. Plutôt que de me rendre à l'hôpital pour le lui dire, je lui ai écrit. Je craignais que l'on sût déjà qu'une indiscrétion avait été commise et que l'on ne m'empêchât d'arriver jusqu'à Yasmine.

De nouveau il rit, plus franchement.

— Oh ! je ne voudrais pas être à la place de l'émir quand il sera devant elle ! Ma cousine est une véritable princesse, vous savez... Elle a l'âme noble et fière. Et elle est, je crois, le seul sujet de notre souverain qui n'ait pas peur de lui !

CHAPITRE XV

Le gardien de nuit de l'ambassade, qui avait longuement hésité avant d'ouvrir, regardait les deux hommes avec suspicion.

— Que voulez-vous à une heure pareille ?

— Que vous nous conduisiez auprès d'une personne ayant quelque autorité. Nous avons un besoin urgent de rencontrer l'ambassadeur !

— Mais, il n'est pas ici, l'ambassadeur ! Revenez dans la matinée.

Il voulut refermer la porte, mais le prince fut plus rapide que lui : il glissa le pied dans l'entrebâillement.

L'homme était un autochtone. Hamid murmura quelques mots en arabe. Le gardien parut impressionné. Puis, il ouvrit la porte, juste assez pour laisser les deux hommes entrer.

Quand elle fut refermée et de nouveau verrouillée, Hamid parla encore et l'homme lui murmura une réponse humble.

Hamid se tourna vers Nick et dit :

— Un des membres de l'ambassade habite ici, dans un appartement situé au dernier étage. Cet homme va l'avertir.

Le gardien alla jusqu'à un poste téléphonique et composa un numéro.

Un certain temps s'écoula avant qu'on ne répondît. Il mit son correspondant au courant.

Il raccrocha et annonça :

— Monsieur Sutton va descendre. Veuillez attendre ici.

Il se retira ensuite dans sa petite loge d'où il ne cessa de les observer à travers la vitre.

On entendit descendre l'ascenseur dont sortit un homme assez jeune revêtu d'une robe de chambre. Derrière ses grosses lunettes cerclées d'écaille, il avait un regard un peu inquiet tandis qu'il s'avançait vers les deux hommes.

— Je suis Walter Sutton. C'est moi qui suis de service cette nuit et je...

Soudain son visage s'éclaira.

— Oh ! bonsoir, docteur ! Le gardien ne m'a pas dit que c'était de vous qu'il s'agissait.

Nick lui serra la main et le présenta au prince. Il avait rencontré plusieurs fois Walter Sutton, lors de son premier séjour à al-Madaniya.

— Nous venons solliciter votre aide, dit Nick. Pour une affaire dont il me semble qu'elle est du ressort de l'ambassade.

— Ce doit être très important pour que vous soyez venus en pleine nuit, dit l'autre en étouffant un bâillement.

— Je vais tout vous expliquer dans le détail. Je suis certain que, quand vous m'aurez entendu, vous conviendrez que nous n'avions d'autre possibilité que de faire appel à l'ambassade.

— Alors il vaut mieux que nous allions dans le bureau. C'est par ici...

Il les conduisit à travers le hall jusqu'à une vaste et confortable pièce, fort richement meublée.

Tandis que Nick et le prince Hamid prenaient place dans de profonds fauteuils, lui se percha sur un coin du grand bureau et alluma une cigarette.

— Je vous écoute ! dit-il.

Et Nick, sans circonlocutions, raconta toute l'histoire.

Le jeune attaché l'écouta jusqu'au bout, sans l'interrompre une seule fois, puis il écrasa sa cigarette dans un cendrier.

— Il vaut mieux mettre l'ambassadeur en personne au courant, dit-il en se tournant vers le téléphone qui était derrière lui.

Une demi-heure plus tard, Nick faisait le même récit à un diplomate grisonnant qu'il avait aussi rencontré quelquefois.

Benjamin Randolph écouta en silence jusqu'au bout, comme l'avait fait Walter Sutton.

Quand Nick se fut tu, il dit :

— Cela vous intéressera sûrement, docteur Spender, d'apprendre que nous avons reçu deux messages nous avisant que votre frère, attendu à Londres, n'avait pas encore reparu à l'hôpital Sainte-Anne.

Nick eut un sursaut.

— Pourquoi ne m'en a-t-on pas informé ?

Benjamin Randolph haussa les sourcils.

— Votre frère avait parfaitement le droit de faire son voyage de retour en plusieurs étapes afin de visiter les Etats de la région ! Aucun avis de recherches le concernant ne nous est parvenu du ministère des Affaires étrangères. Votre frère, s'il avait décidé de s'octroyer quelques jours de vacances entre al-Madaniya et Londres n'avait à en aviser personne. Il est le maître absolu de ses activités et n'a pas besoin d'autorisation officielle pour voyager comme bon lui semble.

Nick approuva. Benjamin Randolph avait raison. Le fait que Tom n'était pas de retour à l'hôpital Sainte-Anne ne pouvait provoquer qu'une enquête de routine...

— Qu'est-ce que nous allons faire, alors ?

L'émir n'a pas le droit de retenir mon frère de cette façon..., ni mademoiselle Harman !

Benjamin Randolph sourit.

— Nous allons commencer par boire une tasse de thé, puis nous passerons aux choses sérieuses. Walter, voulez-vous faire le thé ? Et fouillez un peu dans la cuisine pour voir s'il ne reste pas quelques-uns de ces biscuits au chocolat qu'on a servis hier.

Nick sourit. Le flegme qu'affichait Benjamin Randolph dédramatisait la situation. C'était sans doute ce que voulait le diplomate...

— Quelle sera à votre avis la réaction de l'émir quand il lui aura été demandé des comptes ?

Benjamin Randolph se prit le menton dans la main.

— Nous le verrons bien !

Il n'avait pas répondu à la question de Nick, mais il y avait dans ses yeux une lueur qui redonna de l'espoir à celui-ci.

Bien qu'il fût un homme réservé et calme, ses visiteurs avaient la conviction qu'il était d'une forte personnalité.

Pour le moment, ce qui importait, c'était le thé qu'avait apporté sur un grand plateau le gardien qui les avait accueillis.

— Voulez-vous déguster votre thé, messieurs ? dit Benjamin Randolph. Pendant ce temps, je m'entretiendrai avec Londres. Excusez-moi.

Il quitta rapidement la pièce.

Walter Sutton gloussa...

— Je parierais qu'il a déjà établi un plan de campagne...

Tous trois bavardèrent en attendant le retour du diplomate.

Quand celui-ci revint, il avait le sourire.

— J'ai eu le palais, dit-il. Ils ont réveillé l'émir. Je pense que nous avons largement le temps de boire notre thé. Nous irons le voir dans... — il consulta sa montre de poignet — mettons une demi-heure.

Il était près de 4 heures lorsque la voiture de l'ambassadeur, l'Union Jack (*) flottant fièrement, se mit en route.

Benjamin Randolph et le prince Hamid occupaient les sièges arrière de la confortable limousine, tandis que Nick et Walter Sutton, dos au chauffeur, étaient assis sur de très confortables strapontins.

Plusieurs fenêtres du palais étaient éclairées lorsqu'ils arrivèrent à la porte principale.

Les deux énormes vantaux s'ouvrirent et deux personnages en long vêtement blanc se précipitèrent pour accueillir les visiteurs.

Jamal ben Maïmoun les attendait. Il était

(*) Nom du drapeau du Royaume-Uni.

vêtu de son habit d'apparat, mais il paraissait mal à l'aise.

Le petit groupe fut conduit immédiatement dans l'aile du palais où l'émir avait ses appartements.

Avec un profond salut à Benjamin Randolph, le chambellan déclara :

— Si Votre Excellence veut bien patienter, je vais informer Son Altesse de votre arrivée.

Ils s'assirent contre un des murs de l'antichambre dans laquelle, quelques heures plus tôt, Tom et Madge avaient attendu de comparaître devant l'émir.

Personne ne disait mot.

Nick était nerveux. Et si l'émir éclatait de rire au visage du diplomate, que pourrait faire celui-ci ?

Enfin la porte s'ouvrit et le chambellan reparut.

Avec un salut il dit :

— Si vous voulez bien me suivre...

Et le petit groupe fut mis en présence du souverain d'al-Madaniya.

Il vint à eux, souriant, vêtu d'un ample vêtement lamé d'or.

— Bonjour, messieurs ! dit l'émir. Je suis très honoré que vous ayez pris la peine de venir jusqu'à moi à cette heure matinale.

— Veuillez nous excuser d'avoir troublé votre repos, Altesse ! dit Benjamin Randolph.

Mais, il s'agit d'une affaire extrêmement importante.

L'émir désigna les fauteuils placés devant son bureau.

— Veuillez vous asseoir.

Tandis qu'il s'asseyait lui-même, il lança un regard menaçant à Hamid.

D'une voix paisible le diplomate déclara :

— Altesse, le docteur Spender m'a informé d'une affaire dont j'aimerais discuter avec vous. Elle concerne son frère, le chirurgien, et une infirmière, mademoiselle Harman. L'on croyait ces deux personnes reparties pour l'Angleterre, mais, d'après certaines informations, il semblerait qu'elles soient toujours au palais.

Nick, qui gardait les yeux fixés sur l'émir, crut voir passer une ombre de gêne dans son regard.

Mais lorsqu'il parla sa voix ne trahit aucun trouble :

— J'aimerais savoir de qui vous tenez ces informations, Excellence.

— Je ne pense pas que cela importe, Altesse ! Un seul point est à préciser : Votre Altesse reconnaît-elle qu'elle garde ces deux personnes prisonnières en son palais ?

Sans doute pour gagner du temps, l'émir leur tendit un coffret en or contenant des cigarettes, mais les visiteurs refusèrent d'un geste poli. Il reposa la boîte un peu brutalement.

— Le mot « prisonnières » me paraît excessif. Si vous le permettez, je dirai que je considère le docteur Spender et mademoiselle Harman comme mes hôtes.

Benjamin Randolph insista :

— Vous admettez cependant que lorsqu'ils ont voulu regagner l'Angleterre vous les en avez empêchés ?

L'émir haussa légèrement les épaules.

— J'avais une excellente raison d'obtenir d'eux qu'ils restent à al-Madaniya encore quelques jours.

Dans une autre boîte — en or aussi — il prit un petit cigare noir qu'il alluma lentement.

— Ils ont été traités avec un maximum de considération et de courtoisie. Je suis absolument certain qu'ils n'ont aucune plainte à formuler.

— Ce sera à eux de le dire, sire ! J'espère que vous allez les faire amener afin que je puisse moi-même leur poser la question. Je me permets de vous rappeler que le docteur Spender et mademoiselle Harman, étant tous deux sujets britanniques, ont droit à toute l'aide et à la protection que le gouvernement de Sa Gracieuse Majesté a le pouvoir de leur accorder.

L'émir eut un petit ricanement.

— Et moi je me permets de vous rappeler, Excellence, que je suis souverain absolu de mon Etat et qu'il n'est au pouvoir de personne de me dicter ce qui doit être ou ne pas être fait chez moi !

Pour finir, sa voix avait eu un accent tranchant... Il reprit, avec calme cette fois :

— J'ai demandé à monsieur Tom Spender et à mademoiselle Harman de rester jusqu'à ce que le docteur Nick Spender, ici présent, me donne l'assurance absolue que ma fille ne courrait plus aucun danger. Or, je n'ai pas encore reçu du docteur Nick Spender une telle assurance.

— Vous l'aurez dans quarante-huit heures au maximum, Altesse ! dit Nick, gêné.

— Je suis heureux de l'apprendre, docteur ! Durant quarante-huit heures, le docteur Spender et mademoiselle Harman demeureront donc mes hôtes !

— Je ne le pense pas, Altesse !

Benjamin Randolph avait prononcé ces six mots d'une voix tranquille mais ferme.

L'émir répliqua, sur un ton glacial :

— A al-Madaniya, ma parole a force de loi, Excellence ! Je dis que monsieur Spender et mademoiselle Harman resteront et ils resteront !

Benjamin Randolph se leva. Ses yeux bleus avaient maintenant l'éclat de l'acier.

Il fit d'une traite, sans se laisser impressionner par les regards furieux de l'émir, un exposé court mais extrêmement précis de la situation internationale, démontrant au souverain que son pouvoir n'était pas aussi assuré qu'il pouvait le croire et que dans ces conditions il valait mieux qu'il ne créât pas de complications.

Nick admirait le sens de l'à-propos du représentant de son gouvernement.

Quand Benjamin Randolph termina, l'émir semblait vaincu.

Mais — était-ce par orgueil ? — il demanda à réfléchir.

Le diplomate ignora cette demande...

— J'attends votre réponse, Altesse. Si vous libérez monsieur Spender et mademoiselle Harman, vous aurez ma parole que rien ne transpirera de cette affaire. Nous saurons trouver une explication au retour tardif du docteur Tom Spender.

L'émir pressa sur le bouton et Jamal ben Maïmoun surgit.

— Veuillez amener le docteur Spender et mademoiselle Harman ! dit l'émir.

En entendant ces mots, Nick faillit crier de joie.

EPILOGUE

Tom sourit largement à la princesse Yasmine.

— Je n'ai pas besoin de vous demander comment vous vous sentez, princesse. Je peux dire que vous me paraissez avoir complètement récupéré. Vous devez être impatiente d'aller et venir, de retrouver une vie normale ?

Yasmine lui sourit en retour.

— Suis-je réellement en parfaite santé, docteur Spender ?

— Vous devrez prendre certaines précautions pendant quelque temps encore, mais, franchement, je crois que vous n'aurez plus de problèmes.

Yasmine regarda le prince Hamid. Celui-ci s'approcha vivement pour lui saisir la main.

— Vous entendez, Hamid ? dit-elle tendrement.

Il fit oui de la tête, les yeux brillants.

— J'entends. Et maintenant, tout ce que j'ai à faire est d'obtenir de votre père la permission de...

— Avant que vous ne parliez à mon père, je dois lui dire quelque chose.

Dans les yeux habituellement doux de la princesse il y avait une froide résolution.

Elle regarda l'émir qui se tenait, en compagnie de Nick et de Madge, à l'autre bout de la pièce et lança :

— Père, j'ai à vous parler !

— Ma chère enfant !

L'émir vint à elle, visiblement soulagé que l'examen fût terminé.

— Je ne peux te dire à quel point je suis heureux de te savoir hors de danger, ma fille. Tu dois de grands remerciements à monsieur Spender : il t'a soignée avec compétence et dévouement...

— Oui, oui, père... Monsieur Spender sait quelle est ma gratitude. Il sait aussi, malheureusement, l'injustice du traitement qu'il a subi ces derniers jours, tout comme Madge Harman. Avant d'aller plus loin, je tiens à vous dire ma déception, mon désenchantement, à votre endroit. Je vous ai toujours aimé, je vous plaçais très haut. Vous étiez une étoile dans mon univers... (La princesse avait à présent les larmes aux yeux.) Ils ne méritaient certainement pas d'être séquestrés...

— Mais, ma chérie, c'est pour toi, pour ta sécurité, que j'ai agi ainsi.

Négligeant l'explication de son père, la princesse poursuivit :

— Il faudra bien longtemps pour que je vous pardonne. Maintenant, père, je désire épouser Hamid au plus tôt ! Cela m'aidera à oublier ce qui s'est passé...

— Mais, Yasmine, pense que je serais seul !

— Vous êtes le maître absolu de ce pays, croyiez-vous, père... Et vous êtes rempli d'amertume parce que Hamid est devenu le maître de mon cœur. Mais, ne vous en prenez surtout pas à lui, c'est moi que vous atteindriez !

Tom regarda Madge. « Quelle nature ! pensait-il. Qui aurait pu se douter que la petite princesse saurait parler si fermement à un homme si puissant ? »

L'émir semblait sans voix. Il s'éclaircit la gorge, avança la main pour prendre celle de sa fille, mais il n'alla pas au bout de son geste.

Nick vit que dans ses yeux brillaient des larmes.

Il murmura enfin, sourdement :

— Tu n'as pas le droit de parler ainsi à ton père, Yasmine !

— Vous êtes responsable de ma colère, père. Et maintenant, j'attends de vous la promesse formelle que Hamid n'aura pas à souffrir de votre ressentiment.

L'émir baissa la tête.

— Je te le promets, souffla-t-il.

— Et vous donnez votre agrément à notre mariage ?

L'émir hésita un peu, mais il s'inclina encore :

— Il est de lignée assez noble pour être ton époux... Oui, je l'agrée.

Yasmine leva les yeux sur Hamid, heureuse.

L'émir se retirait. Elle le suivit du regard. Et son expression s'adoucit.

— Père ! appela-t-elle.

Lentement il revint vers elle.

Elle lui tendit la main. Après quelques secondes il la prit.

— Je suis désolé, ma chérie, dit-il. Je suis vraiment désolé ! Essaie de me pardonner. Je n'ai songé qu'à toi, qu'à ta sauvegarde...

Elle s'accrocha à ses épaules et lui baisa la joue.

— Et maintenant, père, tendez la main à Hamid.

L'émir regarda le jeune prince qui se trouvait de l'autre côté du lit.

Et il tendit la main.

— Hamid !

Les deux hommes échangèrent une longue poignée de main.

— Vous êtes mon souverain et je dois vous servir jusqu'à la fin de mes jours, dit Hamid. *Al-hamdou lillah !*

Tom regarda Madge et Nick.

— Je pense que le moment est venu de nous retirer, murmura-t-il.

Sur la pointe des pieds ils sortirent.

Dans le couloir Tom se tourna vers Nick...

— Alors, Nick, tu es décidé à rester à al-Madaniya ?

— Oui. J'ai la certitude que mon avenir est ici. Je sais que l'émir s'est rendu coupable d'un acte qui vous a fortement indignés. Moi, sans l'approuver bien sûr, je le comprends. Et puis... je peux aider ce peuple alors que les Anglais n'ont pas besoin de moi.

— Mais, tu nous accompagneras tout de même bien à l'aérodrome ? dit Madge.

— Bien entendu ! répliqua Nick en souriant. A quelle heure décollez-vous ?

— Dans une heure environ, répondit Tom.

— Bien. J'ai promis au docteur Ibn Soussan que je ferais une tournée dans les services, autant que je le fasse tout de suite. Je vous retrouverai à l'aéroport.

Nick partit à grandes enjambées.

— Nous pourrions aller tout de suite à la voiture, Madge ? Elle nous attend.

— Allez-y, vous, Tom. Moi, je vais attendre le départ de l'émir et du prince. Je voudrais dire au revoir à la princesse.

— Très bien.

Ils échangèrent un sourire et Tom se dirigea vers la sortie de l'hôpital.

Madge alla jusqu'au bout du couloir.

La porte de la chambre s'ouvrit presque aussitôt pour livrer passage à l'émir et au prince. Ceux-ci s'éloignèrent dans la direction opposée à celle où elle se tenait.

Madge courut à la porte de la chambre, frappa et entra aussitôt.

Yasmine l'accueillit avec un sourire radieux.

— Maggy ! Je vous croyais déjà loin !

— Je ne pouvais pas m'en aller sans vous dire au revoir.

— Quel vilain mot ! Je le déteste ! « Au revoir ! » Je préfère encore « adieu » sous lequel il y a comme une bénédiction...

Madge se mit à rire, bien qu'émue.

— Alors que puis-je dire ?... Je ne peux vous dire « adieu », parce que j'espère bien que nous nous reverrons. « A bientôt ?... »

Yasmine prit la main de l'infirmière...

— Ne plaisantez pas. Vous êtes mon amie, Madge. Je déteste l'idée de ne plus vous voir. Oh ! si seulement vous aviez épousé Nick, vous seriez restée à al-Madaniya !

— Mais, je n'aime pas Nick !

Les yeux de Yasmine brillèrent de malice.

— C'est l'autre, n'est-ce pas, que vous aimez ? Oh ! vous avez pu vous tromper, mais vous ne m'avez pas trompée, moi ! Eh bien, bonne chance, ma très chère amie ! Je vous souhaite tout le bonheur que je me souhaite à moi-même.

Madge se pencha pour l'embrasser.

— Il faut que je parte. Tom m'attend. A bientôt peut-être, Yasmine. Qui sait ?

— Mais, il n'y a pas de peut-être ! J'ai dit à Hamid que nous irions à Londres dès que nous serons mariés...

— Nous allons vous attendre avec impatience.

En quittant la chambre, Madge essuya une larme.

Tom était dans la voiture. Elle prit place auprès de lui et le chauffeur démarra aussitôt.

En avance, ils allèrent prendre un café.

— Tout est bien qui finit bien, dit Madge, le regard fixé, à travers la grande baie, sur le jet de l'émir dont on emplissait les réservoirs en prévision du vol vers Bahreïn.

Tom ne disait rien, lui.

Lorsqu'elle se tourna vers lui, leurs regards se rencontrèrent. Elle rougit.

Elle fut soulagée d'entendre une voix derrière eux, celle de Walter Sutton :

— Ah ! je suis content d'être à l'heure pour vous dire au revoir !

— C'est très généreux à vous d'avoir pris la peine de venir, dit Tom. Mon frère vous a tiré du lit à une heure indue et vous auriez pu nous en vouloir de cela...

L'autre rit franchement.

— Bah ! ce sont les inconvénients de la profession, mon cher !... Monsieur Benjamin Randolph m'a chargé de l'excuser auprès de vous de n'avoir pu venir. C'est un homme très occupé, qui doit souvent faire la navette entre al-Madaniya et Londres...

Ils bavardèrent jusqu'à ce qu'un officiel vînt annoncer à Tom et à Madge qu'il était temps de monter à bord.

— On dirait que Nick a été retenu..., dit Tom après que Walter Sutton les eut quittés. Cette visite ne devait-elle pas être une inspection de principe?

Ils sortirent dans le plein soleil.

Comme ils se dirigeaient vers l'appareil,

ils entendirent un claquement de portière derrière eux.

En se retournant ils aperçurent Nick et Joan Bailey, qui couraient à toutes jambes.

Ils les attendirent.

Nick, essoufflé, expliqua :

— Ibn Soussan m'a retenu juste comme j'allais partir. J'ai rencontré Joan. Elle voulait vous dire au revoir aussi.

Madge regarda l'infirmière qui avait l'air radieux. Et voilà comment allaient les choses ! Eh bien, elle leur souhaitait d'être heureux, à elle et à Nick ! Ils étaient faits pour rester ensemble à al-Madaniya.

Tom serra vigoureusement la main de son frère.

— Au revoir, vieux ! Et merci de tout ce que tu as fait pour nous tirer des pattes de l'émir. Sans toi nous y serions encore !

— Je ne crois pas, dit Nick en souriant. Je pense que la princesse et le prince Hamid auraient trouvé un autre moyen pour vous faire libérer...

Il se tourna vers Madge, l'attira pour déposer un baiser sur sa joue.

— Au revoir, Madge, et... bonne chance !

Tom salua Joan Bailey et se dirigea vers l'avion.

Madge regardait Joan dans les yeux.

— J'espère sincèrement que vous serez heureuse.

Puis, elle alla vivement rejoindre Tom qui commençait à gravir l'échelle.

Assis côte à côte Madge et Tom regardaient par le hublot le couple formé par Nick et Joan. Nick prit la main de Joan et ils s'en allèrent ainsi. Il dit quelque chose à son amie et elle se tourna vers lui en riant.

— C'est amusant de voir comment le Destin arrange les choses, la plupart du temps malgré nous, fit remarquer Tom.

— Vous voulez parler de... Nick et Joan ?

Tom sourit, de ce sourire grave qu'elle connaissait si bien.

— Je pensais à eux, en effet... Pour la première fois depuis que nous nous connaissons, Madge, j'ai l'impression que je peux me risquer à vous demander de m'accorder une de vos soirées, quand nous serons à Londres.

— Mais nous avons déjà dîné ensemble plusieurs fois, Tom ! Je crois même que nous sommes allés au cinéma...

— Oui, mais c'était en service commandé. Parce que Nick était au loin et qu'il m'avait demandé de veiller à ce que vous ne languissiez pas trop. De vous surveiller aussi un peu, peut-être... A présent, j'espère que vous accepterez, non pour complaire à Nick ni parce que vous vous sentirez seule, mais... pour le plaisir d'être avec moi. Et pour m'être agréable.

Elle voulut répondre mais ne trouva pas les mots.

Elle sentit qu'il lui prenait la main et elle se laissa aller contre le dossier de son siège, les yeux mi-clos.

Elle savait que son avenir était loin, très loin de l'immense et brûlante étendue de sables du désert d'al-Madaniya, et qu'il serait heureux.

FIN

Achevé d'imprimer
le 3 novembre 1980
sur les presses
de l'imprimerie Cino del Duca,
18, rue de Folin, à Biarritz.
N° 529.

Dépôt légal n° 444. 4e trimestre 1980.